사뮈엘 베케트
Samuel Beckett, 1906-89

사뮈엘 베케트는 1906년 4월 13일 아일랜드 더블린 남쪽 폭스록에서 유복한 신교도 가정의 차남으로 태어났다. 더블린의 트리니티 대학교에서 프랑스 문학과 이탈리아문학을 공부하고 단테와 데카르트에 심취했던 베케트는 졸업 후 1920년대 후반 파리 고등 사범학교 영어 강사로 일하게 된다. 당시 파리에 머물고 있었던 제임스 조이스에게 큰 영향을 받은 그는 조이스의 『피네건의 경야』에 대한 비평문을 공식적인 첫 글로 발표하고, 1930년 첫 시집 『호로스코프』를, 1931년 비평집 『프루스트』를 펴낸다. 이어 트리니티 대학교에서 프랑스어를 가르치게 되지만 곧 그만두고, 1930년대 초 첫 장편소설 『그저 그런 여인들에 대한 꿈』(사후 출간)을 쓰고, 1934년 첫 단편집 『발길질보다 따끔함』을, 1935년 시집 『에코의 뼈들 그리고 다른 침전물들』을, 1938년 장편소설 『머피』를 출간하며 작가로서 발판을 다진다. 1937년 파리에 정착한 그는 제2차 세계대전 중 레지스탕스로 활약하며 프랑스에서 전쟁을 치르고, 1946년 봄 프랑스어로 글을 쓰기 시작한 후 1989년 숨을 거둘 때까지 수십 편의 시, 소설, 희곡, 비평을 프랑스어와 영어로 번갈아가며 쓰는 동시에 자신의 작품 대부분을 스스로 번역해낸다. 전쟁 중 집필한 장편소설 『와트』에 뒤이어 쓴 초기 소설 3부작 『몰로이』, 『말론 죽다』, 『이름 붙일 수 없는 자』가 1951년부터 1953년까지 프랑스 미뉘 출판사에서 출간되고, 1952년 역시 미뉘에서 출간된 희곡 『고도를 기다리며』가 파리, 베를린, 런던, 뉴욕 등에서 수차례 공연되고 여러 언어로 출판되며 명성을 얻게 된 베케트는 1961년 보르헤스와 공동으로 국제 출판인상을 받고, 1969년 노벨 문학상을 수상한다. 희곡뿐 아니라 라디오극과 텔레비전극 및 시나리오를 집필하고 직접 연출하기도 했던 그는 당대의 연출가, 배우, 미술가, 음악가 들과 지속적으로 교류하며 평생 실험적인 작품 활동에 전념했다. 1989년 12월 22일 파리에서 숨을 거뒀고, 몽파르나스 묘지에 묻혔다.

COMPANY
MAL VU MAL DIT
WORSTWARD HO
STIRRINGS STILL
by Samuel Beckett

사뮈엘 베케트   임수현 옮김

동반자
잘 못 보이고 잘 못 말해진
최악을 향하여
떨림

wo
rk
—
ro
om

일러두기

1. 번역 저본은 사뮈엘 베케트(Samuel Beckett)의 『동반자/최악을 향하여/떨림(Company/Worstward Ho/Stirrings Still)』(런던, 페이버 앤드 페이버[Faber and Faber], 2009)과 『잘 못 보이고 잘 못 말해진(Mal vu mal dit)』(파리, 미뉘 출판사[Les Éditions de Minuit], 1981)을 택하되, 베케트가 자신의 글을 직접 번역한 프랑스어 판본들(『동반자[Compagnie]』[1980], 『떨림[Soubresauts]』[1989]) 및 에디트 푸르니에(Edith Fournier)가 번역한 프랑스어 판본(『최악을 향하여[Cap au pire]』, 1991)을 참조했다.
2. 주(註)는 옮긴이가 작성했다.

차례

동반자

어떤 목소리가 어둠 속에서 누군가에게 와 닿는다. 상상하기.

어떤 목소리가 어둠 속에서 등을 대고 누워 있는 누군가에게 와 닿는다. 무엇보다 등이 그리고 그가 눈을 다시 뜨고 또다시 감을 때 어둠이 변하는 방식이 이를 그에게 말해준다. 말해진 것의 아주 작은 부분만 확인될 수 있다. 예를 들면 넌 어둠 속에 등을 대고 누워 있다, 라는 말을 그가 들을 때. 그러면 그는 말해진 것을 인정할 수밖에 없다. 하지만 말해진 것의 더 많은 부분은 도저히 확인될 수 없다. 예를 들어 너는 이러이러한 날에 태어났다, 라는 말을 그가 들을 때. 두 가지가 겹쳐지는 경우도 있는데 예를 들면, 너는 이러이러한 날에 태어났고 지금 너는 어둠 속에 등을 대고 누워 있다. 아마도 한쪽이 지닌 반박 불가능한 사실이 다른 쪽에도 미치도록 하려는 전략. 제시된 것은 결국 이러하다. 어둠 속에서 등을 대고 누워 있는 누군가에게 어떤 목소리가 과거를 하나씩 들려준다. 현재에 대해서도 가끔씩 그리고 미래에 대해서는 보다 드물게. 예를 들면, 너는 지금 네 모습으로 끝나게 될 것이다. 그리고 다른 어둠 속에서 또는 같은 어둠 속이지만 다른 사람. 스스로의 말벗이 되어주기 위해 모든 걸 상상해내는. 빨리 조용히.[1]

2인칭은 목소리의 몫이다. 3인칭은 다른 자의 것. 만일 목소리가 누구에게 말하는지 누구에 대해 말하는지 그가 말할 수 있다면 1인칭이 있을 것이다. 하지만 그는 그럴 수 없다. 그는 그렇게 하지 않을 것이다. 너는 그럴 수 없다. 너는 그렇게 하지 않을 것이다.

목소리 그리고 그의 희미한 숨소리 외에는 어떤 소리도 없다. 최소한 그가 들을 수 있는 소리는 없다. 그의 희미한 숨소리가 이를 그에게 말해준다.

그런 문제들에 대해 어느 때보다도 관심을 덜 기울이는 지금이긴 하지만 그는 목소리가 정말 자신에게 자신에 대해 말하는 것인지 가끔씩 궁금한 건 어쩔 수가 없다. 다른 사람을 대상으로 하는

어떤 대화를 그가 알아채지 못하기라도 한 걸까? 어둠 속에 등을
대고 누워 있는 사람이 그 혼자뿐이라면 목소리는 왜 그런 말을
하지 않는 걸까? 목소리는 예를 들어, 너는 이러이러한 날에
태어났고 지금은 어둠 속에 등을 대고 혼자 누워 있다, 라는
말을 절대 하지 않는 걸까? 왜? 아마도 그의 정신에 이런 막연한
불확실함과 불편함이 생겨나게끔 하려는 유일한 목적으로.

항상 거의 활동하지 않는 너의 정신은 지금 그 어느 때보다 더욱
그러하다. 이런 주장은 그가 기꺼이 인정하는 종류에 속한다.
너는 이러이러한 날에 태어났고 항상 거의 활동하지 않는 너의
정신은 지금 그 어느 때보다 더욱 그러하다. 하지만 아무리
미미하더라도 정신의 어떤 활동이 동반자의 몫으로 필요하다.
그래서 목소리가, 너는 어둠 속에 등을 대고 누워 있고 너의
정신은 어떤 종류의 어떤 활동도 가지고 있지 않다, 라고 말하지
않는 것이다. 목소리만으로도 동반자가 되지만 불충분하다. 듣는
자에게 미치는 그 효과는 보충적으로 꼭 필요하다. 앞에서 언급한
불확실함과 불편함의 막연한 형태라 할지라도. 하지만 동반이라는
문제를 제쳐놓는다 해도 그런 효과는 명백히 요구된다. 왜냐하면
만일 그가 그저 목소리를 들어야만 하고 또 목소리가 그에게
반투어[2]나 게일어[3] 같은 효과만 미친다면 목소리 또한 중단되어야
하지 않겠는가? 그 목적이 그저 순수한 상태의 소음으로서 침묵을
갈망하는 자를 괴롭히는 것이 아닌 한 말이다. 또는 물론 앞서
추측했듯 그것이 다른 사람을 대상으로 한 것이 아닌 한.

꼬마 소년 너는 너의 어머니 손을 잡고 코널리[4]의 정육점에서
나오고 있다. 두 사람은 오른쪽으로 꺾어져 남쪽으로 향한 대로로
말없이 전진한다. 100걸음쯤 간 끝에 둘은 안쪽으로 방향을 틀어
집으로 가는 긴 오르막길에 접어든다. 둘은 여름의 포근하고
평온한 대기 속에서 말없이 올라간다. 늦은 오후 시간이고
100걸음쯤 가고 나니 태양이 오르막길 꼭대기에 나타난다.
처음에는 푸른 하늘을 그다음엔 너의 어머니 얼굴을 올려다보며
너는 침묵을 깨고 어머니에게 사실 저건 보이는 것보다 훨씬 더

멀리 있는 게 아니냐고 묻는다. 그러니까 하늘 얘기다. 푸른 하늘. 대답이 없자 너는 머릿속으로 질문을 재구성하고 100걸음쯤 더 간 후 다시 그녀의 얼굴을 올려다보며 저건 실제보다 훨씬 더 가까이 있는 것처럼 보이지 않느냐고 묻는다. 네가 결코 이해할 수 없었던 어떤 이유 때문에 그 질문이 그녀를 몹시 화나게 만들었던 게 분명하다. 왜냐하면 그녀는 네 작은 손을 뿌리치고 네게 잊지 못할 상처가 되는 대답을 해줬기 때문이다.

목소리가 그에게 말하고 있지 않다면 분명 다른 사람에게 말하고 있다. 그는 자신에게 남아 있는 이성으로 이렇게 추론해본다. 다른 사람에게 그 다른 사람에 대하여. 또는 그에 대하여. 아니면 또 다른 사람에 대하여. 다른 사람에게 그 다른 사람에 대하여 또는 그에 대하여 아니면 또 다른 사람에 대하여. 어쨌든 어둠 속에 등을 대고 누워 있는 누군가에게. 그가 같은 사람이건 아니건 간에 어둠 속에 등을 대고 누워 있는 누군가에 대하여. 그는 자신에게 남아 있는 이성으로 이렇게 추론해보고 잘못 추론한다. 왜냐하면 목소리가 그가 아닌 다른 사람에게 말하고 있다면 그건 분명 그 다른 사람에 대한 것이지 그에 대한 것도 또 다른 사람에 대한 것도 전혀 아니기 때문이다. 목소리는 2인칭으로 말하고 있으니까. 만일 목소리가 자신이 말하는 대상에 대해 말하고 있지 않다면 그것은 2인칭이 아니라 3인칭으로 말했을 것이다. 예를 들면, 그는 이러이러한 날 태어났고 지금은 어둠 속에 등을 대고 누워 있다. 따라서 만일 목소리가 그가 아닌 다른 사람에게 말하고 있다면 그건 그에 대한 것이 아니라 그 다른 사람에 대한 것이고 그 외 다른 어떤 사람에 대한 것도 분명히 아니다. 그는 자신에게 남아 있는 이성으로 이렇게 잘못 추론한다. 동반자가 되려면 그는 어떤 정신적 활동을 보여야만 한다. 하지만 눈에 띌 필요는 없다. 더 나아가 눈에 덜 띌수록 더 낫다고까지 할 수도 있을 것이다. 어느 정도까지는. 눈에 덜 띌수록 더 좋은 동반자가 된다. 어느 정도까지는.

너는 네가 잉태된 것으로 보이는 방에서 태어났다. 커다란 내닫이창은 서쪽과 산을 향해 나 있었다. 주로 서쪽. 왜냐하면 창이 굽어져 있다 보니 어느 정도는 북쪽과 남쪽을 향하기도 했기 때문이다. 불가피하게. 어느 정도는 여전히 산이 있는 남쪽으로 그리고 어느 정도는 산이 평원을 향해 내려오는 북쪽으로. 산파는 다름 아닌 일반 의사 해던(Haddon) 또는 해든(Hadden)이었다. 삐죽삐죽한 회색 콧수염과 뭔가 쫓기는 듯한 모습. 그날은 공휴일이었기에 너의 아버지는 아침 식사를 하자마자 휴대용 위스키병과 자신이 좋아하는 계란 노른자가 들어간 샌드위치 꾸러미를 들고 산으로 산책을 갔다. 평상시와 전혀 다를 바 없는 행동이었다. 그러나 그날 아침 그를 움직인 것은 걷기와 야생의 자연에 대한 그의 사랑만은 아니었다. 출산 행위의 고통과 썩 유쾌하지 않은 다른 측면들이 불러일으키는 혐오감이 거기에 덧붙여졌기 때문이다. 그래서 샌드위치를 가져온 것이며 그는 정오경 첫 번째 정상에 오른 다음 거석(巨石) 유적의 그늘에서 바다를 마주하고 그것을 음미할 생각이었다. 너는 그가 히스와 금작화를 헤치고 나아가는 동안 그 전후 그의 생각들을 상상할 수 있다. 밤이 되어 집에 돌아오면서 뒷문으로 들어오는 편을 택한 그는 하녀의 입을 통해 놀랍게도 아직도 한창 작업 중임을 알게 되었다. 족히 열 시간도 더 전에 그가 떠났을 때 이미 진행 중이었던 바로 그 상태. 그는 조금도 지체하지 않고 그가 자신의 드 디옹 부통[5]을 주차시켜둔 정원 안쪽 차고로 뛰어갔다. 그는 차고 문을 다시 잠그고 운전석에 탔다. 그가 그곳 어둠 속에서 핸들을 잡고 어찌할 바를 모르고 기다리는 동안 무슨 생각들을 했는지 너는 상상할 수 있다. 피곤하고 발이 아팠음에도 불구하고 그가 아직 무르익지 않은 달빛 아래로 벌판을 가로질러 다시 출발하려던 찰나 하녀가 뛰어와 모든 게 마침내 끝났음을 그에게 알려주었다. 끝났다!

노인인 너는 무거운 종종걸음으로 한 좁은 시골길을 걷고 있다. 너는 새벽에 밖으로 나왔고 지금은 저녁이다. 침묵 속의 유일한 소리는 네가 걷는 소리. 너는 매 걸음에 귀를 기울이고 머릿속으로 그것을 더해서 그 합은 이전보다 항상 더 커진다. 너는 도랑 끝에서 고개를 숙이고 걸음을 멈춘 다음 미터로 환산해본다. 이제 미터당 두 걸음의 비율로. 어제의 걸음에 새벽부터의 걸음을 더하니 엄청나다. 작년 것도. 그 이전 해들의 것도. 현재와는 너무나 다른 그리고 너무나 비슷한 시간. 전체적으로는 엄청난 킬로미터. 리(里)도 마찬가지. 지구가 벌써 몇 번이나 돌았을까? 이런 계산을 하는 동안 네 아버지의 그림자도 네 주위에서 움직이지 않는다. 그의 낡은 방랑자 옷차림으로. 마침내 다시 제로부터 나란히 앞으로 나아간다.

목소리는 때로는 이쪽에서 때로는 다른 쪽에서 그에게 다가온다. 때로는 거리로 인해 희미하기도 하고 때로는 귀에 속삭인다. 하나의 같은 문장 속에서 목소리는 위치와 어조를 바꿀 수 있다. 그러니까 예를 들어 뒤로 젖혀진 얼굴 위로 또렷하게, 너는 어느 부활절에 태어났고 이제 지금이다. 그런 다음, 너는 어둠 속에 등을 대고 누워 있다, 라고 귓가에 속삭인다. 또는 물론 순서가 바뀔 수도 있다. 또 다른 특징으로는 목소리가 이제 좀 끝났으면 하고 그가 감히 바랄 때 찾아오는 긴 침묵. 그러니까 같은 예로 뒤로 젖혀진 얼굴 위로 또렷하게, 너는 구세주가 돌아가신 날 태어났고 이제 지금이다. 그러고는 그의 바람이 생겨나고 한참 후에 속삭임, 너는 어둠 속에 등을 대고 누워 있다. 또는 물론 순서가 바뀔 수도 있다.

또 다른 특징으로는 중언부언하기. 언제까지나 거의 달라지지 않을 이전의 같은 말. 마치 어떻게든 그로 하여금 그것을 그의 것으로 만들게 하려는 것처럼. 그래 나는 기억해, 라고 고백하도록. 그러니까 어쩌면 목소리를 갖게 하려는 것처럼. 그래 나는 기억해, 라고 중얼거리도록. 그럴 수 있다면 동반자로서 아주 훌륭한 기여일 것. 이따금씩 1인칭 단수로, 그래 나는 기억해, 라고 중얼거리는 목소리.

반쯤 눈먼 거지 노파가 정원 문 앞을 더듬고 있다. 너는 그 장소를 잘 알고 있다. 귀가 완전히 멀고 정신이 온전치 않은 안주인은 너의 어머니와 사이가 아주 좋다. 그녀는 언젠가는 하늘을 날수 있을 거라고 확신했었다. 결국 그녀는 어느 날 2층 창문에서 몸을 던졌다. 너는 작은 자전거를 타고 유치원에서 돌아오는 길에 문안으로 들어오려고 애쓰는 그 불쌍한 거지 노파를 본다. 너는 자전거에서 내려 문을 열어준다. 그녀가 네게 고마워한다. 그녀는 어떤 말들을 했던가? 신께서 작은 주인님에게 보답을 내리시기를. 대충 이런 식으로. 신께서 작은 주인님을 보호해주시기를.

최대로 힘을 써도 희미한 목소리. 그것은 거의 들리지 않게 될 때까지 천천히 사라져간다. 그런 다음 최대한 희미한 소리로 천천히 되돌아온다. 소리가 천천히 물러날 때마다 그것이 죽어버렸으면 하는 희망이 천천히 생겨난다. 그는 그것이 다시 오리라는 걸 분명 알고 있을 것이다. 그럼에도 불구하고 소리가 천천히 물러날 때마다 그것이 죽어버렸으면 하는 희망이 천천히 생겨난다.

그는 조금씩 어둠과 침묵을 받아들이고 그 안에 눕는다. 그에게 남겨진 판단력으로 그렇게 아주 오랜 시간을 함께한 끝에 그는 그것들이 결정적이라고 판단했다. 그 후 어느 날 목소리. 어느 날! 마침내. 마침내, 너는 어둠 속에 등을 대고 누워 있다, 라고 말하는 목소리. 이것이 목소리의 첫 번째 말들이었다. 그가 제대로 들었는지 확인할 수 있도록 긴 사이 그리고 다시 같은 말들. 그런 다음 청력이 다하기 전에는 멈추지 않겠다는 맹세. 너는 어둠 속에 등을 대고 누워 있고 이 목소리는 청력이 다할 때까지 멈추지 않을 것이다. 또는 그가 희미한 빛 속에 누워 있고 소리들이 드물어지는 가운데 조금씩 침묵과 어둠이 되었다는 편이 어쩌면 더 낫겠다. 어쩌면 동반자에게도 그게 더 나을 것이다. 왜냐하면 가끔씩 어떤 소리들이 있는가? 희미한 빛은 또 어디서 생기는가?

너는 높은 도약대 꼭대기에 서 있다. 바다 위로 높이 솟은. 바닷속에는 네 아버지의 젖혀진 얼굴. 네 쪽으로 젖혀진. 너는 저 아래 있는 소중하고 정다운 얼굴을 바라본다. 그는 네게 뛰라고 외친다. 그가 외친다, 용기를 내! 둥글고 붉은 얼굴. 굵은 콧수염. 희끗희끗한 머리카락. 파도가 그를 잠기게 했다가 다시 수면으로 데려온다. 다시 또 멀리서 부르는 소리, 용기를 내! 사람들이 너를 보고 있다. 멀리 물에서부터. 육지에서부터.

가끔씩 어떤 소리. 이렇게 의지할 데가 있다는 건 대단한 축복. 침묵과 어둠 속에서 눈을 감고 소리를 듣기. 자기 자리를 떠나 마지막 자리로 가는 어떤 물건. 더 이상 움직일 필요 없도록 부드럽게 움직이는 어떤 부드러운 것. 보이는 어둠 속에서 눈을 감고 비록 그뿐일지라도 듣기. 더 이상 움직일 필요 없도록 부드럽게 움직이는 어떤 부드러운 것.

목소리가 어떤 빛을 발산한다. 그것이 말하는 동안 어둠이 밝혀진다. 그것이 물러나면 다시 짙어진다. 그것이 최대한 희미한 소리로 되돌아오면 밝아진다. 소리가 멈추면 다시 원상태가 된다. 너는 어둠 속에 등을 대고 누워 있다. 그때 네가 눈을 떴더라면 너는 어떤 변화를 보았을 것이다.

희미한 빛은 어디서 오는가? 어둠 속에서 그런 동반자라니. 눈을 감고 그것을 상상해보려 애쓰기. 예전엔 희미한 빛이 어디서 왔던가? 분명한 출처는 아무것도 없다. 마치 그의 모든 작은 공백을 간신히 비춰주는 발광체 같은. 그때 자신의 젖혀진 얼굴 위로 그는 무엇을 볼 수 있었던가? 어둠 속에서 눈을 감고 그것을 상상해보려 애쓰기.

또 다른 특징으로는 생기 없는 톤. 생명이 없는. 늘 똑같이 생기 없는 톤. 긍정을 할 때도. 부정을 할 때도. 질문을 할 때도. 감탄을 할 때도. 권유를 할 때도. 너는 예전에 이랬어. 너는 절대 그렇지 않았지. 네가 그랬던 적이 있던가? 오 절대 그랬던 적 없지! 다시 해봐. 똑같이 생기 없는 톤.

그는 움직일 수 있을까? 그는 움직일까? 그는 움직여야 할까?

그럴 수 있다면 큰 도움이 될 텐데. 목소리가 사라질 때. 정말 보잘것없는 그 어떤 움직임이라도. 손을 움켜쥐는 것일지라도. 또는 처음에 움켜쥔 상태였다면 손을 펴는 것. 그런 것이 어둠 속에서 얼마나 큰 도움이 될지. 눈을 감고 그 손을 보는 것. 모든 시야를 가득 채우며 내밀어진 손바닥. 손금들. 천천히 접혀지는 손가락들. 또는 처음에 접혀진 상태였다면 다시 펴지는. 이 늙은 손바닥의 손금들.

물론 눈이 있다. 모든 시야를 가득 채우는. 천천히 내려오는 장막. 또는 처음에 내려온 상태였다면 다시 올라가는. 안구. 오직 눈동자. 수직으로 크게 열리고. 가려지고. 노출되고. 다시 가려지고. 다시 노출되고.

어쨌든 그가 말을 한다면. 아주 희미하게나마. 그렇다면 동반자에게는 얼마나 큰 보탬이 될 것인가. 너는 어둠 속에 등을 대고 누워 있고 언젠가 너는 다시 말을 하게 될 것이다. 언젠가! 마침내. 마침내 너는 다시 말을 하게 될 것이다. 그래 나는 기억해. 그건 나였어. 그때 그건 나였어.

너는 정원에 혼자 있다. 너의 어머니는 쿠트 부인과 부엌에서 간식을 준비하고 있다. 아주 얇게 버터를 바른 빵을 만들면서. 덤불 뒤쪽에서 너는 쿠트 부인이 도착하는 걸 지켜보고 있다. 마르고 까칠한 작은 여자. 너의 어머니는 그녀에게, 걘 정원에서 놀고 있어요, 라는 말로 대답한다. 너는 커다란 전나무 꼭대기까지 올라간다. 너는 온갖 소리들에 귀 기울이며 거기 머무른다. 그러고는 아래로 뛰어내린다. 커다란 가지들이 너의 낙하를 어렵게 만든다. 솔잎들. 너는 잠시 땅에 얼굴을 대고 있다. 그런 다음 다시 나무 위로 올라간다. 너의 어머니는 쿠트 부인에게, 걘 아주 끔찍한 아이였어요, 라는 말로 대답한다.

자신에게 남아 있는 감정으로 그는 예전과 비교해서 지금에 대해 무엇을 느낄까? 그에게 남겨진 판단력으로 자신의 상태가

결정적이라고 그가 판단했을 때. 그가 그때 예전과 비교해서
그때에 대해 무엇을 느꼈었는지 또한 물어볼 것. 그때 역시 예전이
없었기 때문에 지금도 그것은 없다.

같은 어둠 또는 다른 어둠 속에서 스스로의 동반자가 되기 위해
모든 것을 상상하는 다른 사람. 얼핏 보기에는 명백한 것 같은 말.
하지만 곰곰이 살펴보면 그것은 흔들린다. 곰곰이 살펴볼수록
더 흔들리기까지 한다. 그러다 결국 눈을 감고 그로부터 벗어난
머리는 이렇게 물을 수 있다, 그게 무슨 뜻인가? 얼핏 보기에는
명백한 것 같다는 게 무슨 뜻인가? 그러다 결국 머리 또한
말하자면 닫힌다. 어둡고 텅 빈 방의 창문이 닫히듯이. 어두운
바깥을 향해 난 유일한 창. 그러고는 더 이상 아무것도 없다. 없다.
불행히도 없다. 아직도 죽어가는 희미한 빛들과 동요들. 말로
표현할 수 없는 정신의 떨림. 진정시킬 수 없는.

A에서 Z까지의 길 중에 특별히 어디도 아닌 곳. 또는 좀 더
그럴듯하게 말하자면 발리오건 길.[6] 이 소중한 옛 시골길.
특별히 어디도 아닌 곳 대신 발리오건 길 위의 어딘가. 발리오건
길의 A에서 Z 사이에 있는 어딘가. 도랑 끝에서 덧셈을 하고
있는 너의 숙여진 머리. 왼쪽으로 첫 번째 언덕들. 정면으로는
방목장. 오른쪽 약간 뒤로는 네 아버지의 그림자. 이미 몇 번이나
지구를 돈 거리. 원래 녹색이었다가 세월이 지나고 때가 끼면서
머리부터 발끝까지 뻣뻣해진 외투. 원래 노란색이었던 찌그러진
중절모와 아직 잘 어울리는 장화. 새벽부터 길을 나섰는데 벌써
저녁. 계산이 끝나고 다시 제로부터 앞으로 나아가는 두 사람.
스텝어사이드[7]를 향해 똑바로. 하지만 두 사람은 갑자기 가던 길을
중단하고 울타리를 넘어 벌판을 가로질러 동쪽으로 절뚝거리며
사라진다.

사실 왜 또는, 인가? 왜 다른 어둠 속 또는 같은 어둠 속인가?
또 누가 그것을 묻는가? 그리고 누가 그것을 묻는가, 라고 누가
묻는가? 그리고, 누구든지 간에 모든 걸 상상하는 자, 라고

대답하는가. 그의 피조물과 같은 어둠 또는 다른 어둠 속에서. 스스로의 동반자가 되기 위해. 결국, 누가 묻는가, 라고 누가 묻는가? 그리고 결국 위에서 언급한 대로 대답하는가. 한참 후 나지막이 또 이렇게, 또 다른 누군가가 아닌 한, 이라고 덧붙이는. 어디서도 발견할 수 없는. 어디서도 찾아볼 수 없는. 생각할 수 없는 최후의 사람. 이름 붙일 수 없는. 정말 마지막 사람. 나. 빨리 조용히.

그때 있었던 빛. 어둠 속 너의 등 위로 그때 있었던 빛. 구름도 해도 없는 빛남. 너는 해가 뜰 때 사라져서 언덕 비탈에 있는 너의 은신처로 올라간다. 금잔화 덤불 속 거처. 바다 위 동쪽으로는 높은 산들의 희미한 윤곽. 네 지리 교과서를 믿는다면 112킬로미터 떨어진 거리. 네 인생에서 세 번째 또는 네 번째. 처음에 너는 그들에게 알려줬다가 망신을 당했다. 네가 본 건 구름뿐이었을 것이다. 그래서 그 이후 넌 그걸 나머지와 함께 마음속에 담아둔다. 밤이 되어 돌아오고 저녁을 거른 채 자리에 눕는다. 너는 다시 이 빛 속의 어둠 속에 누워 있다. 금잔화 덤불 속에 있는 너의 거처에서부터 너는 눈이 아플 때까지 바다 너머를 주시한다. 너는 100을 세는 동안 눈을 감았다가 다시 뜨고 다시 주시한다. 결국 그것들이 거기 있게 될 때까지. 창백한 하늘과 맞닿은 한없이 창백한 푸른빛. 너는 다시 이 빛 속의 어둠 속에 누워 있다. 구름도 해도 없는 이 빛 속에서 잠들라. 해가 뜰 때까지 자라.

목소리와 듣는 자 그리고 자기 자신을 만들어내는 자. 스스로의 동반자가 되기 위해 자기 자신을 만들어내는 자. 거기까지만. 그는 마치 다른 사람에 대해 말하듯 자신에 대해 말한다. 그는 자신에 대해 말하면서, 그는 마치 다른 사람에 대해 말하듯 자신에 대해 말한다, 라고 말한다. 그는 또한 스스로의 동반자가 되기 위해 자기 자신을 상상해낸다. 거기까지만. 혼란 또한 동반자가 된다. 어느 정도까지는. 거짓된 희망이라도 없는 것보다는 낫다. 어느 정도까지는. 마음이 쇠약해지기 시작할 때까지는. 동반자에 대해서도 어느 정도까지는. 병든 마음이라도 없는 것보다는 낫다.

완전히 부서지기 시작할 때까지는. 그는 이렇게 자신에 대해
말하면서, 지금으로서는 거기까지만, 이라고 지금으로서는 결론을
내린다.

자신의 피조물과 같은 어둠 속 또는 다른 어둠 속. 또다시
상상해봐야 하는. 그의 자세도 마찬가지. 서 있을지 또는 앉거나
누워 있을지 아니면 어둠 속의 그 어떤 다른 자세일지. 또다시
상상해봐야 할 대답들 중 몇 가지. 마찬가지로 다른 질문들에
대한 다른 대답들 중에서. 동반자를 고려하면서. 두 어둠 중
어떤 것이 함께하기에 더 적합한가? 상상해볼 수 있는 모든
자세들 중 어떤 것이 동반자로서 가장 많은 것을 줄 수 있는가?
또다시 상상해봐야 할 다른 질문들에 대해서도 마찬가지. 이런
결정들이 돌이킬 수 없는 것인지에 대한 질문 같은 것. 예를 들어
무르익은 상상력으로 등을 대건 배를 대건 눕는 쪽으로 결정을
내렸다가 시간이 지남에 따라 이 자세가 동반자로서 실망스러운
것으로 드러난다면. 이 경우 다른 자세로 대체할 수 있는지
그렇지 않은지. 예를 들면 두 팔이 만드는 반원형 속에 두 다리를
접어 넣고 머리는 무릎 위에 놓는 웅크린 자세 같은 것. 거기에
움직임까지. 비록 네발로 하는 것일지라도. 같은 어둠 또는 다른
어둠 속에서 스스로의 동반자가 되기 위해 모든 것을 상상하며
네발로 기어 다니는 또 다른 사람. 또는 다른 어떤 운동 형태.
만남의 가능성들. 죽은 쥐. 동반자에게는 얼마나 큰 보탬이 될
것인가. 오래전부터 죽어 있는 쥐.

듣는 자를 개선할 수 있는 방법은 없을까? 더 편안한 관계 그게
아니라면 완전히 인간적인 관계로 만들 방법. 어쩌면 정신적인
측면에서 좀 더 생기를 지니게 할 여지. 최소한 성찰을 하는
노력. 기억을 하는. 거기에 말까지. 감정의 흔적들. 몇 가지
고뇌의 신호들. 실패의 감정. 역할에서 벗어나지 않고. 까다로운
작업. 하지만 육체적인 측면은. 그는 최후까지 누워 있어야만
할까? 단지 눈꺼풀만 기술적인 이유 때문에 이따금씩 움직이며.
어둠을 받아들이기 위해서 또는 배제하기 위해서. 그는 두 발을

겹칠 수는 없을까? 이따금씩. 때로는 왼쪽을 오른쪽 위로 그리고 적절한 시기엔 그 반대로. 없다. 전적으로 불가능하다. 그가 두 발을 겹쳐놓고 누워 있다고? 일고의 여지도 없는 일. 손의 어떤 움직임이라도? 움츠리기. 펴기. 받아들이기 어렵다. 또는 파리를 쫓기 위해 손을 들기. 하지만 파리는 없다. 설사 있다 하더라도. 없으란 법 있을까? 유혹이 강렬하다. 파리가 있기를 바라는. 그가 죽었다고 잘못 생각하는 살아 있는 파리. 실수를 깨닫고 바로 다시 만들어내는. 동반자에게는 얼마나 보탬이 되겠는가. 그가 죽었다고 잘못 생각하는 살아 있는 파리. 천만에. 그는 파리를 쫓지 않을 것이다.

너는 밖에서 추위에 떨고 있는 고슴도치를 불쌍히 여겼고 그것을 벌레 먹이들과 함께 낡은 모자 상자에 넣는다. 그런 다음 너는 안에 고슴도치가 있는 상자를 폐쇄된 토끼우리 안에 두고 그 불쌍한 동물이 마음대로 오갈 수 있도록 우리의 문을 열린 상태로 고정한다. 먹이를 찾으러 가고 배를 채운 다음에는 다시 돌아와 우리 안의 상자에서 다시 따뜻하고 안전할 수 있도록. 이렇게 해서 고슴도치는 버텨내기에 충분한 벌레들과 함께 상자 안에 있게 된다. 그 어린 나이에도 이미 끔찍하게 느리기만 한 시간을 죽이기 위해 네가 다른 것을 찾으러 가기 전에 모든 게 제대로 됐는지 확인하려고 마지막으로 살펴본다. 이런 선행으로 타오른 작은 불꽃은 가라앉고 희미해지기까지 평소보다 더 오래 걸린다. 너는 이 시기에 쉽게 불타오르고는 했지만 결코 오래가지는 않았다. 너의 어떤 선행으로 인해 또는 네 경쟁자들에게 거둔 어떤 작은 승리로 인해 아니면 네 부모님이나 선생님들의 입에서 나온 칭찬의 말로 인해 타오른 너의 불꽃은 금방 가라앉고 희미해지기 시작해서 순식간에 너를 전보다 더 춥고 더 어둡게 만들곤 했다. 그 시기에조차. 하지만 그날은 아니었다. 과거 시제로 결론을 내리자면 너는 어느 가을 오후 고슴도치를 만났고 그래서 불쌍히 여기게 되었으며 잘 시간이 되었을 때까지도 그것이 가져다준 기쁨을 계속 느끼고 있었다. 그리고 침대 바닥 깔개에 무릎을 꿇고 너는 매일 밤 하느님께 축복을 빌어야 하는 소중한 존재들의 목록에 그 고슴도치를 추가했다. 그리고 잠이 들기를 기다리며 시트의 온기 속에서 몸을 뒤척이면서 너는 그 고슴도치가 너와 길에서 마주친 행운이 실제로 일어났음을 생각하며 마음이 아직도 살짝 뜨거워짐을 느꼈다. 그것도 죽어가는 회양목들로 둘러싸인 오솔길에서. 네가 잠이 들 때까지 시간을 죽이는 가장 좋은 방법에 대해 궁리하며 그곳에 있었을 때 고슴도치는 한쪽 가장자리를 헤치고 나와 다른 쪽으로 곧장 도망치는 중이었고 그때 네가 그의 삶 속으로 들어온 것이다. 그런데 다음 날 아침 작은 불꽃이 꺼져버렸을 뿐 아니라 어떤 커다란 불편함이 그 자리를 대신했다. 어쩌면 모든 게 제대로 되지 않았다는 막연한 느낌. 그리고 네가 했던 일을 하기보다는 그냥 자연이 하는 대로 내버려둬서 고슴도치가 자기 길을 가도록 하는 편이 어쩌면 더 나았을 거라는. 그렇게 며칠 아니 몇 주가 통째로 지나간 다음 너는 용기를 내어 토끼우리로 되돌아갔다. 너는 그때 네가 발견한 것을 절대 잊지 못했다. 너는 어둠 속에 등을 대고 누워 있고 네가 그때 발견한 것을 절대 잊지 못했다. 그 흐물거리는 덩어리. 그 지독한 악취.

언젠가부터 다음과 같은 위험. 동반자의 필요성이 중단되는 것. 순수한 자기 자신이 위안이 되는 순간들. 그때 끼어드는 목소리. 듣는 자의 이미지도 마찬가지. 그 자신도 마찬가지. 그러면 그것들을 부추긴 데 대한 후회와 어떻게 끝내느냐의 문제. 그런데 순수한 자기 자신이라는 건 무슨 뜻인가? 어떤 위안이 가능한가? 지금으로서는 거기까지.

듣는 자를 H라고 부르자. 강한 소리로. 헤이치. 너 헤이치는 어둠 속에 등을 대고 누워 있다. 그리고 그에게 자기 이름을 알려주자. 자신과 관계없는 문제들을 더 이상 엿듣지 못하게 할 것. 자신이 목표가 아닌 문제들. 그러면 결국 논리적으로 아무것도 없는 셈이지만. 귓가의 속삭임에 대해 자신을 향한 것인지 자문해보기! 그는 이렇다. 그러면 그 막연한 불확실함도 사라진다. 그 희미한 희망. 무언가를 느낄 기회가 그토록 없었던 그에게. 거의 아무것도 느낄 수 없었던. 그가 바랄 수 있는 한 아무것도 느끼지 않기만을 바라며. 바람직한 일일까? 아니다. 그가 동반자로서 얻는 게 있을까? 없다. 그러면 더 이상 그를 H라고 부르지 말자. 그를 언제나 그러했던 상태로 다시 되게 하자. 이름 없이.[8] 너.

그가 누워 있는 곳을 더 가까이서 상상하기. 아무것도 과장하지 않고. 그 형태와 규모에 대한 단서는 멀리서 들려오는 목소리가 제공한다. 천천히 물러갔다가 멀리서부터 그에게 다가오거나 갑자기 사라지거나 오랜 침묵 후 멀리서 다시 시작되는. 이것은 또한 위에서 그리고 사방에서 또 모든 높이에서 최대한 떨어진 거리로부터 늘 같은 수준의 극도의 약한 소리로 온다. 절대 밑에서부터 오지 않는다. 지금까지는. 그래서 논리적으로 보면 누군가 지름이 넓은 반원형 공간 안에 머리를 가운데 오도록 하고 등을 대고 누워 있는 것이다. 얼마나 넓은가? 극도로 약해진 목소리의 약함으로 볼 때 20여 미터 즉 귀부터 주위 표면의 아무 점까지 10여 미터면 충분할 것이다. 형태와 규모에 대해서는 이러하다. 그러면 재료는? 그런 것이 존재한다면 어떤 것 그리고 어디? 지금으로서는 아무것도 단정하지 말 것. 현무암이 끌린다. 검은 현무암. 하지만 지금으로서는 아무것도 단정하지 말 것. 그렇게 목소리와 듣는 자에 지친 그는 은밀히 상상한다. 하지만 조금 더 상상력을 동원하자 그는 자신이 잘못 상상했음을 알게 된다. 왜냐하면 희미한 소리가 아주 가까운 곳에서 나는 진짜 약한 소리가 아니라 원래는 덜 약한 소리가 거리 때문에 더 약해진 거라고 무슨 권리로 확신하겠는가? 또는 제자리에서 약해진 게 아니라 멀어지면서 더 약해지는 소리라면? 어쩌면 그중 아무것도 아닐지도. 결국 목소리로부터는 우리의 늙은 듣는 자가 누워 있는 장소의 성격에 대해 어떠한 깨달음도 기대할 수 없다. 무한한 어둠 속에서. 윤곽조차 없는. 지금으로서는 거기까지. 다만 덧붙일 것은, 이렇게 이성으로 얼룩진 상상력은 도대체 어떤 종류의 것인가? 독자적인 종류.

스스로의 동반자가 되기 위해 모든 것을 상상하는 다른 사람.

자신의 피조물과 같은 또는 다른 어둠 속에서. 빨리 상상해볼 것.
똑같이.

목소리를 개선할 수 있는 방법은 없을까? 더 편안한 관계로
만드는 방법. 얼마 전부터 목소리가 스스로 변화해가고
있다는 가정. 이 어두운 의식 속에서 어떤 동사의 어떤 시제도
없을지라도. 갑자기 끝나고 진행 중이고 계속되는 모든 것. 하지만
다른 자에게는 얼마 전부터 목소리가 스스로 나아지고 있다는
가정. 처음에 상상되었던 대로의 언제나 똑같은 생기 없는 톤
그리고 똑같은 중언부언. 거기에 대해서는 아무것도 덧붙일 말이
없다. 하지만 줄어든 운동성. 변화가 덜한 희미함. 마치 가장
적합한 자리를 찾으려는 듯. 최대한의 효과를 이끌어낼 수 있는.
편하게 들을 수 있는 이상적인 진폭. 너무 커서 귀를 고통스럽게
하지도 또 그 반대의 소리로 귀를 긴장시키지도 않으려는
배려와 더불어. 이런 기관은 처음에 급하게 상상되었던 것보다
함께하기에 얼마나 더 적합한가. 자신의 목적을 달성하는 데 있어
얼마나 더 좋은가. 듣는 자로 하여금 과거를 가질 수 있게 해주고
그것을 인정하게 해주려는 목적. 너는 길었던 산고의 끝에 어느
성금요일에 태어났다. 그래 나는 기억해. 낙엽송들 뒤로 해가 막
졌을 때였다. 그래 나는 기억해. 제대로 무너뜨리려면 물방울이
빗나가지 않고 밑바닥 위로 떨어져야 하는 것과 마찬가지로.

네가 마지막으로 외출했을 때 땅은 눈으로 덮여 있었다. 지금
어둠 속에 등을 대고 누워 있는 너는 그날 아침 부드럽게 문을
다시 닫고 문턱에 서 있다. 문에 기대어 고개를 숙이고 너는 떠날
준비를 하고 있다. 네가 다시 눈을 떴을 때 두 발은 사라진 채
외투 자락만 눈 위에 있었다. 밑에서부터 어두운 장면이 밝혀지는
듯하다. 너는 문에 기대어 눈을 감은 채 스스로에게 출발 신호를
주기를 기다리고 있는 이 마지막 외출 순간의 네 모습을 보고
있다. 밖으로. 그다음은 눈으로 빛나는 장면이다. 너는 눈을
감고 어둠 속에 누워서 네가 방금 묘사했던 대로 이 빛의 지역을
가로질러 뛰어들 준비를 하고 있는 네 모습을 보고 있다. 너는

문이 찰칵하고 부드럽게 다시 닫히는 소리를 그리고 첫걸음을
뗄 수 있게 되기 전의 침묵을 다시 듣는다. 마침내 너는 봄날의
양들이 즐겁게 뛰놀고 붉은 태반들이 널려 있는 흰 방목장을
가로질러 출발한다. 너는 언제나처럼 직진해서 서쪽 경계를
표시하는 가시울타리의 구멍으로 향한다. 방목장에 인접했을
때부터 거기까지 네 기분이 아니라 땅의 상태에 따라 1천 800에서
2천 걸음이 필요하다. 하지만 그날 아침 땅의 상태로는 훨씬
더 많은 걸음이 필요할 것이다. 훨씬 훨씬 더 많은. 직선 코스는
네 발에 너무나 익숙해서 경우에 따라 네가 눈을 감고 걸어도
기껏해야 북쪽 또는 남쪽으로 몇 걸음 정도의 오차로 목적지에
도달할 수 있을 것이다. 게다가 넌 이곳에서뿐 아니라 보통
눈을 감고 있기에 실내에서가 아니라면 그럴 필요조차 없다.
왜냐하면 너는 대체로 눈을 감지 않는다 하더라도 최소한 네 발
앞에 순간적으로 놓이는 땅에 시선을 고정하며 앞으로 나아가기
때문이다. 네가 보게 될9 모든 것들의 성격에 대해서는 이러하다.
네가 완전히 고개를 숙였던 그날 이후로. 너의 발 앞으로
사라져가는 땅. 너는 더 이상 발걸음을 세지 않는다. 매일 같은
숫자라는 단순한 이유 때문에. 어느 날이건 평균적으로는 같다.
길이 늘 같기 때문이다. 너는 날짜들을 계산해서 열흘마다 곱한다.
그리고 더한다. 네 아버지의 그림자는 더 이상 네 곁에 없다.
오래전에 떨어져 나갔다. 너는 더 이상 네 발걸음 소리를 듣지
않는다. 듣지도 보지도 않고 너는 너의 길을 간다. 매일매일. 같은
길. 마치 다른 길은 이제 없기라도 한 것처럼. 너에겐 다른 길이란
없다. 예전에 너는 오직 계산을 제대로 하기 위해서만 멈추곤
했다. 다시 제로부터 재출발하기 위해. 우리가 살펴본 대로 그럴
필요가 없어졌으니 멈춰야 할 필요도 이론적으로는 마찬가지다.
어쩌면 끝까지 갔다가 돌아올 준비를 할 때를 제외하고는. 그런데
너는 그렇게 한다. 이전에는 절대 안 그랬던 것처럼. 피곤하기
때문이 아니다. 지금 너는 항상 그랬던 것보다 더 피곤하지 않다.
늙어서 그런 건 아니다. 지금 너는 항상 그랬던 것보다 더 늙지도
않았다. 그래도 너는 전에 없이 멈춘다. 결과적으로 네가 예전에 3,
4분 걸렸던 그 똑같은 100미터를 걷는 데 이제는 15분에서 20분이

필요하다. 발이 걷는 도중에 저절로 풀리거나 걸음을 떼어야 할
순간에 몸이 멈추면서 지면에 붙어서 움직이지 않는다. 그러면
이루 말로 표현할 수 없는 근심이 생겨나고 그 본질은 이러하다,
두 발이 더 멀리까지 갈 수 있을까? 아니, 그것들이 더 멀리 가려고
할까? 냉혹한 본질. 너는 눈을 감고 어둠 속에 누워서 그 장면을
본다. 그때는 그러지 못했던 것처럼. 어두운 하늘의 천장. 눈부신
땅. 그 가운데 고정된 너. 목까지 잠긴 장화. 눈 위에 놓인 외투
자락. 낡은 중절모 안에는 근심으로 말을 잃고 숙여진 늙은 머리.
울타리로 향하는 방목장의 한가운데서. 그 직선 코스. 너는 그때는
그러지 못했던 것처럼 뒤를 돌아보고 너의 흔적들을 본다. 거대한
포물선. 시계 반대 방향으로. 마치 지옥에서처럼. 갑자기 마음이
무거워지기라도 한 것처럼. 마침내 너무 무거워진.

꽃다운 나이. 그 전형적인 향기를 상상하며. 어둠 속에 등을
대고 누워 너는 기억한다. 구름 한 점 없는 4월의 하루. 그녀가
작은 별장으로 너를 만나러 온다. 시골풍의 육면체 집. 전체가
전나무와 낙엽송 목재로 만들어진. 지름 2미터. 높이 3미터. 평방
3미터의 지면. 서로 마주 보는 두 개의 작고 알록달록한 채광창.
마름모꼴로 잘라진 색색의 작은 창유리들. 창 아래로 각각 선반
하나씩. 너의 아버지는 여름이면 일요일마다 정오의 식사 후에
펀치 술과 방석을 챙겨 이곳으로 숨어들어오는 걸 좋아했다. 그는
선반 위에 앉아 허리띠의 단추를 풀고 책장을 넘기곤 했다. 너는
맞은편 선반 위에서 다리를 흔들며 앉아 있었다. 그가 키득거릴
때마다 너도 같이 키득거리려고 애쓰곤 했다. 그의 웃음이 멈추면
너도 그렇게 했다. 그는 그러는 걸 좋아했고 무척 재미있어 해서
너는 그의 키득거리는 소리를 흉내 내려고 신경을 썼는데 그저
네가 키득거리려고 애쓰는 소리를 들으려고 그가 괜히 키득거릴
때도 있었다. 이따금씩 너는 몸을 돌려서 장밋빛 창유리 너머를
바라본다. 너는 유리에 너의 작은 코를 붙이고 온통 장밋빛인
바깥을 본다. 세월이 흘러서 너는 지금 그때 그 장소로 돌아와
무지갯빛 속에 잠겨 허공을 바라보고 있다. 그녀가 늦는다. 너는
눈을 감고 이곳의 크기를 계산하기 시작한다. 어려운 순간들

속에서 너는 기꺼이 간단한 사칙연산을 시도해본다. 마치
피난처인 것처럼. 너는 마침내 대략 7미터의 체적에 이르게 된다.
지금까지도 이 시간을 초월한 어둠 속에서 숫자들은 네게 위안이
된다. 너는 어떤 심장의 리듬을 가정해보고 하루에 몇 번이나
뛰는지 계산해본다. 일주일에. 한 달에. 1년에. 그리고 일생에
걸리는 어떤 삶의 시간을 가정하면서. 하지만 거기서 네게 남은
거라곤 고작 7억[10]뿐인 지금 너는 다시 작은 별장에 앉아 그것의
크기를 계산하는 중이다. 대략 7미터의 체적. 알 수 없는 이유로
인해 이 수치가 네게 적절해 보이지 않아서 너는 제로에서부터
다시 계산을 해본다. 하지만 계산이 막 다시 시작되었을 때
그녀의 가벼운 발소리가 들린다. 그녀 정도의 체격을 지닌 여자
발소리치고는 가벼운. 뛰는 가슴으로 너는 다시 눈을 뜨고 끝도
없을 것 같은 시간이 지나자 그녀의 얼굴이 창가에 나타난다. 네가
있는 곳에서 거의 완전히 파랗게 보인 이 자연스러운 창백함은
아마도 너 또한 그녀 쪽에서는 거의 완전히 파랗게 보이기에
네가 무척이나 감탄하는 것이다. 왜냐하면 너희 두 사람은 이
자연스러운 창백함을 공통적으로 갖고 있기 때문이다. 보라색
입술이 너의 미소에 응답하지 않는다. 그런데 한편으로는 이
창문이 네 위치에서 봤을 때 너의 눈높이에 있고 또 한편으로는
건물의 바닥이 거의 바깥의 땅과 같은 표면에 있기 때문에 너는
혹시 그녀가 무릎을 꿇고 넘어진 게 아닌지 궁금해질 수밖에
없다. 두 사람에게 공통된 키 또는 길이가 똑같은 부분들의
합이라는 걸 경험을 통해 알기에. 왜냐하면 똑바로 서거나 길게
누웠을 때 두 사람은 마주 보고 서로에게 밀착되기 때문이며
그때 둘의 무릎과 성기가 서로 스치고 머리카락들이 뒤엉킨다.
그의 키가 앉아 있어서 줄어든 것처럼 무릎을 꿇은 사람도
마찬가지라고 결론을 내려야만 했을까? 첫 부분과 두 번째 부분
즉 발바닥부터 무릎뼈까지와 거기부터 다리이음뼈까지의 길이를
머릿속으로 잘 측정하고 비교해보기 위해 너는 여기서 눈을
감는다. 너는 깨어 있을 때 눈을 감고 얼마나 생각에 몰두하곤
했던지! 낮에도 밤에도. 이 완벽한 어둠 속에서. 그림자도 없는 이
빛. 그저 존재하지 않기 위해. 또는 여기서처럼 일 때문에. 다리

하나가 나타난다. 너는 그것을 여러 부분으로 조각내고 나란히 늘어놓는다. 마치 어느 정도 예상했었다는 듯이. 윗부분이 가장 길고 자리가 무릎 높이일 경우 앉아 있는 사람이 결국 더 손해다. 너는 조각들을 거기 그냥 두고 다시 눈을 떴을 때 네 앞에 앉아 있는 그녀를 발견한다. 침묵. 진홍빛 입술은 네 미소에 응답하지 않는다. 너의 시선은 그녀의 가슴으로 내려간다. 너는 그렇게 풍만한 가슴을 봤던 기억이 없다. 그녀의 배. 마찬가지 느낌. 단추가 풀린 허리띠 밖으로 삐져나온 네 아버지의 배와 뒤섞인다. 네가 청혼하지도 않았는데 임신을 한 걸까? 너는 다시 생각에 빠진다. 그녀도 네가 모르는 사이에 눈을 감는다. 너희 둘은 이제 작은 별장 안에 앉아 있다. 이 무지갯빛 속에서. 이 침묵.

상상력이 이렇게 한바탕 휩쓸고 빠져나간 다음 그는 멈추고 모든 것이 멈춘다. 동반자가 다시 필요해진 그가 듣는 자를 최소한 M이라 부르기 시작할 때까지. 더 쉽게 알아볼 수 있도록. 다른 성격을 지닌 그 자신. W. 스스로의 동반자가 되기 위해 자기 자신을 포함한 모든 것을 상상하며. 가장 최근까지 M과 같은 어둠 속에서. 어떤 자세인지 고정되었는지 움직이는지에 대해서는 아직 상상해보지 않은. 그 또한 스스로에 대해, 그가 자신에 대해 마지막으로 말했을 때는 자신의 피조물과 같은 어둠 속에 있음을 말하기 위해서였다, 라고 말한다. 애초에 구상했던 다른 어둠 속에서가 아니라. 같은 어둠 속. 동반자가 되기에 더 적합한. 그리고 그의 자세를 상상해보는 일이 남아 있었다. 또 고정되었는지 움직이는지도. 상상해볼 수 있는 모든 자세들 중 어떤 것이 나중에 지겨워지지 않을 수 있는 가장 좋은 자세일까? 움직임과 휴식 중 어떤 것이 장기적으로 보아 더 흥미롭다고 밝혀질까? 그리고 단숨에 알아내기엔 너무 이르지만 무엇이 나중에 부정될지 혹시 그럴 수 없는 것인지에 대해 더 이상 기다리지 않고 그냥 말하면 왜 안 되는 걸까. 그렇다면? 만일 그가 최근까지 선호했던 어둠으로부터 나오는 게 더 낫다고 판단했다면 그는 이제 자신의 피조물로부터 멀리 떨어진 완전히 다른 어둠 속으로 갈 수 있을까? 만일 그가 지금 누워 있기로 결심했다가 나중에 후회하게 된다면 그는 예를 들어 서 있거나 벽에 기대거나 이리저리 서성거릴 수 있을까? M은 안락의자 안에서 다시 상상될 수 있을까? 자유롭게 그를 도우러 갈 수 있을까? 자신의 피조물과 같은 어둠 속 거기에서 그는 이 모든 난관의 대상이 된 자기 자신을 떠나며 이따금씩 그렇게 했듯이 세상의 불행들이 여전히 예전 그대로인지 마음속 깊은 곳에서 자문해본다. 그의 시대에도.

지금까지 M은 다음과 같다. 형태와 크기는 아직 상상해봐야 하는 상태로 어떤 장소에 등을 대고 누워 있다. 간헐적으로 어떤 목소리의 듣는 자가 되어 그 목소리가 자신과 같은 곤경에 처해 있는 다른 사람이 아니라 자신을 대상으로 한 것인지 이따금씩 자문해본다. 목소리가 그에게 그의 상황에 대해 정확히 묘사할 때 그 묘사가 같은 상황에 처한 다른 자를 위한 것이 아니라는 증거가 아무것도 없기 때문이다. 목소리가 사방으로 흩어지는 대신 자신에게 집중됨에 따라 조금씩 어긋나는 의심들. 목소리가 멈추게 하는 유일한 소리가 그의 호흡뿐일 때. 목소리가 오래된 희미한 희망을 정말로 끝내버릴 때. 너무나 하찮은 정신적 활동. 잠시 반짝였다가 곧 꺼져버리는 아주 드문 이성의 빛. 간신히 느껴지는 이 오래된 한 쌍이라고 부를 수밖에 없는 희망과 절망. 그의 현재 상황이 어떻게 비롯된 것인지에 대해서는 아무것도 밝혀지지 않았다. 그에 따라 이곳과도 그때와도 지금을 연결시키지 말 것. 오직 눈꺼풀만 움직인다. 안팎의 어둠에 눈이 지쳐 눈꺼풀이 각자 감기거나 다시 뜨일 때. 국지적이고 사소한 다른 움직임들에 대한 희망이 죽지 않았다. 하지만 이런 측면에서 볼 때 그보다 더 나은 어떤 움직임도 아직까지는 눈에 띄지 않는다. 또는 동반자를 위해 보다 높은 차원에서 이루어지는 요컨대 지속적인 슬픔이나 후회 아니면 호기심이나 분노 기타 등등의 움직임을 통해서도. 또는 예를 들어 스스로에 대해, 그는 생각할 줄 모르니 그러려고 애쓰지 말기를, 이라고 말할 수 있을 정도로 충분히 성공적인 어떤 지적 활동을 통해서도. 이 밑그림에 더 추가할 것이 있을까. 그의 이름 붙일 수 없음. M조차 없어져야

한다. 그래야 W는 지금까지 창조된 모습 그대로 자신의 피조물을
회상한다. W? 하지만 그 또한 피조물이다. 허상.

그렇다면 다시 다른 사람. 아무것도 지니지 않은. 자신의 공허를
누그러뜨리기 위해 허상들을 만들어내는. 빨리 조용히. 잠시
쉬었다가 다시 또 마음속으로 다급해져서, 빨리빨리 조용히.

상상하는 자가 상상된 자를 만들어 스스로의 동반자가 되기 위해
모든 걸 상상하게 한다. 자신의 다른 허상들과 같은 허상의 어둠
속에서. 어떤 자세인지 그리고 그런 듣는 자가 영원히 그의 안에
있는지 아닌지는 아직 결정되지 않았다. 움직이지 않는 하나면
충분하지 않은가? 이 위안의 요소를 두 배로 하는 게 무슨 소용이
있는가? 그렇다면 그를 움직이게 하자. 적당히. 네발로. 절제된
포복. 상체는 지면에서 잘 들어 올리고 눈은 걸음의 방향을
주시하며. 만일 이것이 없느니보다 못할 경우 가능하다면 취소할
것. 그리고 다시 비워진 공간 속에서 다른 움직임. 또는 아무것도
없도록. 그러면 이제 남은 건 가장 도움이 되는 자세를 상상하는
일뿐. 하지만 지금으로선 그가 기도록 하자. 기고 넘어지고. 다시
기고 다시 넘어지고. 자신의 다른 허상들과 같은 허상의 어둠
속에서.

마치 길을 잃은 것처럼 오래도록 방황한 끝에 목소리가 자신의
자리와 목표로 하던 희미함을 찾는다. 그의 자리는 어디?
신중하게 상상할 것.

뒤로 젖혀진 얼굴 위. 후두부와 수직을 이루는. 혹시라도 보여질
입이 있다면 목소리가 발산하는 희미한 빛에 그가 그것을
보지 못하도록. 그가 아무리 필사적으로 눈을 굴리더라도.
지면으로부터의 높이는?

팔 길이 정도. 세기는? 약하게. 요람 뒤쪽으로 몸을 숙이는
어머니의 목소리처럼. 그녀는 아이 아버지가 볼 수 있도록

비켜선다. 이번에는 그가 갓난아이에게 속삭인다. 언제나처럼
생기 없는 톤. 어떤 사랑의 흔적도 없는.

너는 사시나무 기슭에 등을 대고 누워 있다. 나무의 흔들리는
그림자 속에. 그녀는 팔꿈치를 괴고 직각으로 누워 있다. 감긴
너의 두 눈이 그녀의 눈 속에 잠긴다. 어둠 속에서 너는 다시 한
번 그 속에 잠긴다. 다시. 너는 너의 얼굴 위로 그녀의 길고 검은
머리카락들이 미동도 없는 대기 속에 흔들리는 걸 느낀다. 뒤덮인
머리카락들 아래로 두 사람의 얼굴이 가려진다. 나뭇잎 소리를
들어봐, 라고 그녀가 속삭인다. 서로 마주 보며 둘은 나뭇잎
소리를 듣는다. 나뭇잎들의 흔들리는 그림자 속에서.

그렇게 기면서 넘어지면서. 다시 기고 다시 넘어지며. 만일 결국
이것이 정말 아무것도 나아지게 하지 않는다면 그는 언제든지
마지막으로 넘어질 수 있다. 아니면 무릎 높이까지만 세우거나.
이러한 포복이 목소리와는 달리 장소에 대한 계획을 세우는
데 도움이 될 수 있는 방법을 상상해볼 것. 우선 기는 단위는
무엇인가? 걸어 다닐 때의 한 걸음에 해당하는. 그는 네발로 서서
출발할 준비를 한다. 손과 무릎은 직각으로 길이는 61센티미터
폭은 내키는 대로. 마침내 이를테면 오른쪽 무릎이 15센티미터
정도 전진하면서 자신과 그것에 대응하는 손 사이의 거리를
4분의 1로 줄인다. 그리고 이번에는 손이 적당한 때에 그만큼
전진한다. 이제 우리의 직사각형은 마름모꼴이 된다. 하지만
왼쪽 무릎과 손이 마찬가지 일을 하는 데 필요한 시간 동안에만.
그렇게 직사각형으로 돌아온다. 그가 넘어질 때까지 이런 식으로
계속. 기는 자의 이러한 걸음걸이는 그의 모든 이동 방법들 중에서
아마도 가장 보기 드문 것이다. 따라서 아마도 가장 재미있는.

계속 기면서 머릿속으로는 계산을. 머릿속에 하나하나씩. 하나
둘 셋 넷 하나. 무릎 손 무릎 손 둘. 약 30센티미터. 이를테면 다섯
후에 그가 넘어질 때까지. 그런 다음 머지않아 다시 제로에서부터
앞으로. 하나 둘 셋 넷 하나. 무릎 손 무릎 손 둘. 여섯. 이렇게

계속. 가능한 한 직선으로. 당황스런 장애물과 만나지 않은 그가
가던 길을 되돌아오는 순간까지. 다시 제로에서부터. 또는 완전히
다른 방향으로 접어든다. 최선을 다해 직선으로. 그리고 그곳에도
그의 고통을 끝내줄 수 있는 건 아무것도 없고 그는 결국 단념하며
다시 방향을 바꾼다. 다시 제로에서부터. 어둠이 어느 정도까지
방향을 바꾸게 할 수 있는지 잘 알고 있으면서 또는 거의 의심하지
않으며. 심장 때문에 왼쪽으로 돌며. 지옥에서처럼. 또는 반대로
타원에서 벗어나 직선으로 바꾸며. 어쨌든 간에 그는 열심히 기고
있으며 아직까지는 어떤 경계도 없다. 무릎 손 무릎 손. 끝이 없는
어둠.

정신적으로 완벽한 무기력 상태에 있는 듣는 자를 상상하는 게
적절할까? 그가 듣는 순간들만 제외하고. 즉 목소리가 들리는
순간들. 사실 목소리와 그의 숨소리를 제외하면 그에게 들을 게
뭐가 있는가? 아하! 기는 것. 그는 기는 소리를 들을까? 넘어지는
건? 그가 기는 소리를 들을 수 있다면 동반자에게는 얼마나 큰
보탬이 될 것인가. 넘어지는 것. 다시 네발로 돌아오기. 다시 포복.
이런 소리들이 도대체 뭘 의미할 수 있을지 자문하며. 나중에
더 공허해질 때를 위해 유보할 것. 그리고 소리를 제외하면
무엇이 그의 정신을 깨울 수 있을까? 보기? 아무것도 볼 게
없다고 어떻게 선언하지 않을 수 있을까? 하지만 지금은 너무
늦었다. 그가 눈을 다시 뜨거나 다시 감을 때 그는 어둠의 변화를
인식하기 때문이다. 또한 그는 원칙적으로 상상된 그대로의
목소리가 발산하는 희미한 빛을 인식한다. 성급하게 상상된.
간신히 들리는 속삭임뿐이기에 너무나 희미한 빛일 수밖에 없다.
목소리의 첫음절이 채 들리기도 전에 눈이 감긴다는 걸 이제
갑자기 알게 된다. 그때 눈이 뜨여 있다고 가정한다면. 결과적으로
간신히 존재하는 상태로의 이 빛은 눈을 반쯤 깜빡이는 시간
동안에만 가까스로 인식된다. 맛? 그가 입안에서 느끼는 맛?
오래전에 사라졌다. 지면으로부터 그의 골격에 가해지는
압력? 발꿈치뼈부터 뒤통수까지 구석구석. 움직이고 싶어 하는
마음이 그의 무기력에 파장을 일으킬 수는 없을까? 옆구리로

움직여보려는. 또는 엎드려서. 변화를 주기 위해. 이런 최소한의
욕구가 그에게 주어지기를. 그리고 그가 헛되이 자유롭게
꿈틀거리던 시대가 지났음을 알게 되는 행복도 함께. 냄새? 그의
냄새? 오래전에 사라졌다. 그리고 다른 것들이 있다 하더라도
차단된다. 예를 들어 한때 풍기던 오래전에 죽은 쥐의 냄새. 또는
어떤 다른 썩은 고기의. 더 상상해볼 것. 기는 자가 냄새를 풍기지
않는 한. 아하! 기는 창조자. 기고 있는 창조자가 냄새를 풍긴다고
상상하는 게 적절할까? 자신의 피조물보다 더 지독하게. 이렇게
그는 놀라움에 너무나도 무감각한 이 정신을 깜짝 놀라게 만든다.
이 낯선 냄새에 놀라도록. 이 역겨운 입김은 도대체 누구에게서
또는 무엇에게서 나는 것인가? 만일 그의 창조자가 냄새를 풍길
수 있기만 하다면 그는 동반자로서 얼마나 이득이겠는가. 그가
자신의 창조자를 느낄 수만 있다면. 어떤 육감 같은 것? 임박한
불행에 대한 설명할 수 없는 예감? 그런가 아닌가? 아니다. 그럼
순수한 이성? 경험을 초월한. 신(神)은 사랑. 그런가 아닌가?
아니다.

자신의 피조물과 똑같이 창조된 어둠 속에서 기는 창조자는
기면서 창조할 수 있을까? 기는 중간에 그가 누워서 스스로
묻곤 하던 질문들 중 하나. 그리고 만일 분명한 대답이 머릿속에
떠올랐다면 최선의 방법은 달라졌을 것이다. 그래서 그가 마침내
이 문제에 대한 어떤 상상을 만들어내기 전까지 그는 수도 없이
기어야만 했고 또 그만큼 탈진해서 엎어져야만 했다. 그의 대답들
중 어떤 것도 대단하지 않다고 마음속으로 동시에 확신 없이
단숨에 덧붙이며. 그가 위험을 무릅쓰고 선택한 대답이 틀렸다
해도 어쩔 수 없는 일이다. 아니 그는 그렇게 할 수가 없었다.
위에서 상상된 방식으로 어둠 속을 기는 건 너무나 진지하고
또 시간이 많이 걸리는 일이라서 무(無)에서 아주 작은 것을
만들어내는 일에 불과할지라도 일체의 다른 행동들을 배제하지
않을 수가 없다. 왜냐하면 그는 너무 성급하게 상상된 이 특별한
방식으로 전진해야 할 뿐 아니라 심지어 최대한 직선으로
가야 하기 때문이다. 게다가 반 발 갈 때마다 계산을 하고 이미

계산된 것들의 끝없이 변하는 합계를 기억해야 한다. 그리고 마지막으로는 경계 상태를 유지하며 그의 상상력이 아마도 너무 빨리 결정한 장소의 상태에 대한 어떤 단서라도 눈과 귀로 포착할 수 있어야 한다. 결국 너무나 이성에 물든 상상력을 아쉬워하며 또 동시에 상상력의 도약이 얼만큼 되돌릴 수 있는 것인지를 기억하며 그는 그럴 수 없었다, 하고 대답할 수밖에 없었다. 자신의 피조물과 똑같이 창조된 어둠 속에서 기며 온당하게 창조할 수가 없었다.

물가. 저녁. 죽어가는 빛. 그 빛은 곧 더 이상 죽지 않을 것이다. 그렇다. 그러면 더 이상 어떤 빛 같은 것도 없을 것이다. 그 빛은 새벽까지 죽어가다가 절대 죽지 않았다. 너는 바다를 등지고 서 있다. 바다의 소리뿐. 아주 부드럽게 멀어짐에 따라 항상 더 희미해지는. 아주 부드럽게 다시 올 때까지. 너는 긴 지팡이에 기대고 있다. 너의 두 손은 지팡이의 둥근 끄트머리 위에 있고 두 손 위로는 너의 머리. 네가 두 눈을 뜬다면 너는 우선 저 멀리 마지막 빛 속에서 너의 외투 자락들과 모래 속에 잠긴 네 장화의 목을 보게 될 것이다. 그러고는 모래 위의 지팡이 그림자를 사라지게 만들 때의 빛만이. 네 시야에서 사라지게 만드는. 달도 별도 없는 밤. 네가 눈을 뜨게 된다면 어둠이 밝아질 텐데.

기고 넘어지고. 누워 있고. 어둠 속에서 눈을 감고 내쉬는 숨. 다시 움직인다. 다시 또 헛되이 기었던 것에 대한 환멸 속에서 몸을 이끌며. 어쩌면 이렇게 말하면서, 도대체 왜 기는 걸까? 왜 그냥 모든 걸 포기하고 어둠 속에 눈을 감고 누워 있지 않는 걸까? 모든 걸 끝내고. 무의미한 포복과 헛된 허상들. 하지만 그가 이런 식으로 용기를 잃을 때가 있더라도 그건 절대 오래가지 않는다. 왜냐하면 무너져내린 그의 마음속에서 동반자에 대한 욕구가 조금씩 다시 생겨나기 때문이다. 또는 자기 자신으로부터 벗어나고 싶은. 다시 그 목소리를 듣고 싶은 욕구. 그저 다시 또 이런 말이나 할지라도, 너는 어둠 속에 등을 대고 누워 있다. 또는, 어두운 하늘 아래 아홉 시에 구세주가 부르짖다가 죽은 날

저녁에 태어났다. 더 잘 듣기 위해 눈을 감고 그 빛이 퍼지는 걸
보고 싶어 하는 욕구. 또는 몇 가지 인간적인 약점들을 추가해서
듣는 자를 개선하고자 하는. 예를 들어 그의 손이 닿지 않는
또는 더 좋기로는 움직이지 않는 그의 손이 닿을 수 있는 곳의
가려움 같은. 긁을 수 없는 가려움. 동반자에게는 얼마나 큰
보탬이겠는가. 또는 마지막으로 남겨둔 것으로 그가 자신이 누워
있다고 막연히 말할 때 정확히 무엇을 의미하는지를 알아보는
문제. 다시 말해 셀 수 없이 많은 누워 있는 방법들 중 어떤 것이
길게 보아 가장 마음에 들 가능성이 있는가? 만일 그가 어떤
특별한 방법으로 긴 다음 넘어진다면 대개 얼굴을 땅에 박는
경우일 것이다. 그 시점에서의 그의 피로도와 낙담 정도로 보았을
때 사실 다른 경우는 생각하기조차 어려울 것이다. 하지만 일단
제대로 엎어지고 나면 그가 양쪽 옆구리를 번갈아 움직이거나
등만으로 꿈틀거리는 걸 그 무엇도 막을 수가 없으며 이 세 자세들
중 어떤 하나가 다른 셋 중 하나보다 더 유쾌하다고 드러난다면
그렇게 누워 있으면 된다. 등을 대고 눕는 자세가 끌리긴 하지만
이미 듣는 자에게 주어진 것이므로 결국 제외된다. 옆으로 눕는
자세들은 단번에 배제된다. 따라서 남는 건 엎드린 자세뿐이다.
하지만 어떤 식으로? 어떻게 엎드리는가? 두 팔은? 머리는? 어둠
속에 엎드린 채 그는 어떻게 하면 엎드린 상태를 가장 잘 유지할
수 있는지 열심히 알아보고자 한다. 스스로의 동반자가 되려면
어떻게 엎드리는 것이 최선인지.

듣는 자의 이미지를 구체화할 것. 등을 대고 누워 있는 모든
방법들 중에서 어떤 것이 길게 보아 지겨워질 위험을 최소화할
수 있는가? 어둠 속에서 잔뜩 힘을 준 눈을 감고 엎드린 채 그는
마침내 어렴풋이 깨닫기 시작한다. 하지만 그보다 옷을 벗었는가
아니면 입었는가? 천 조각 하나라도. 벗은 상태. 목소리가
발산하는 빛으로 인해 유령처럼 보이는 이 동반자 같은 뼈처럼
하얀 살. 앞서 언급했듯 대체로 뒤통수가 받치고 있는 머리. 경직된
상태로 모아진 두 다리. 직각으로 벌어진 두 발. 보이지 않는
수갑에 채워진 듯 치골 위에 모인 두 손. 나머지 세부 사항들은

나중에 필요하면. 지금으로서는 그를 이 상태로 놓아둘 것.

너의 종(種)이 지닌 불행들로 인해 녹초가 된 너는 그래도 네
머리를 받치던 손으로부터 고개를 들어 다시 눈을 뜬다. 너는
움직이지 않고 네 자리로부터 머리 위 빛 쪽으로 방향을 바꾼다.
너의 시선은 눈 아래 있는 시계로 내려간다. 하지만 밤의 시간을
읽어내는 대신 너의 두 눈은 자신의 그림자를 앞서거나 뒤서거나
하는 초침의 회전을 따라간다. 몇 시간 후 네겐 이렇게 보인다.
60초와 30초에 그림자는 초침 아래로 사라진다. 60초에서
30초까지 그림자는 좀 떨어져서 초침을 앞서가는데 그 거리는
제로에서 60까지는 점점 증가하여 15에서 최고가 되고
거기서부터 줄어들어 30에서 다시 제로가 된다. 30에서 60까지는
그림자가 좀 떨어져서 초침을 따라가는데 그 거리는 제로에서
30까지 점점 커져 45에서 최고가 되고 거기서부터 줄어들어
60에서 다시 제로가 된다. 이제 너는 시계를 이곳저곳으로
움직여 빛이 이쪽 또는 저쪽으로 비스듬히 떨어지게 만들고 결국
그림자가 전혀 다른 두 지점 예를 들어 50과 20에서 초침 아래로
사라지게 한다. 그러니까 기울기에 따라 전혀 다른 두 지점 어느
곳에서라도. 하지만 기울기가 어떻든지 간에 그리고 그림자가
제로가 되는 첫 번째 지점들과 새로운 지점들 사이의 차이가
어떻든지 간에 한쪽에서 다른 쪽 사이의 간격은 항상 30초 안에
있다. 그림자는 자신이 한 바퀴 도는 중 어느 지점에서라도 초침
아래서 솟아나 30초의 공간 속에서 그것을 뒤쫓거나 앞서간다.
그런 다음 초로 계산될 수 없는 순간 동안 사라졌다가 다시 초침을
앞서거나 뒤쫓기 위해 다시 나타난다. 그리고 이런 식으로 계속.
이것이 유일한 상수(常數)인 것처럼 보인다. 왜냐하면 초침과
그림자 사이의 거리조차 기울기의 정도에 따라 변하기 때문이다.
하지만 그 거리가 어떠하든지 간에 그것은 제로에서 최대치인
15초까지 그리고 15초 후에는 또 제로까지 변함없이 다시 각각
증가하고 줄어든다. 그리고 이런 식으로 계속. 말하자면 이것이
두 번째 상수일 것이다. 시계 판 주위를 끝도 없이 평행하게 돌며
다른 변수들과 상수들을 제거하기도 하고 그때까지 네게 보였던

것들 속에서 있었을지도 모르는 오류들을 수정할 줄도 아는 이 초침과 그 그림자에 대해 넌 한참 더 관찰할 수도 있었을 것이다. 하지만 더 이상 그렇게 할 수 없게 된 너는 원래 있던 곳으로 머리를 다시 떨어뜨리고 눈을 감은 채 너의 종이 지닌 불행들로 다시 돌아온다. 새벽이 항상 이러한 자세로 있는 너를 발견한다. 바다 쪽으로 난 창문을 통해 낮게 뜬 해가 너를 비춰주고 너의 그림자와 네 머리 위에서 항상 불을 밝히고 있는 램프의 그림자 그리고 또 다른 물건들의 그림자를 바닥에 펼쳐놓는다.

어둠 속에서 이런 빛의 광경들이라니! 이렇게 감탄하는 자는 누구인가? 그림자도 없는 어둠 속에서 이런 빛과 그림자의 광경이라니! 라고 누가 감탄하는지 묻는 자는 누구인가? 다시 또 다른 누군가? 스스로의 동반자가 되기 위해 모든 것을 상상하는. 이것도 동반자에게는 얼마나 큰 보탬이 될 것인가. 스스로의 동반자가 되기 위해 다시 또 모든 것을 상상하는 다시 또 다른 누군가. 빨리빨리 조용히.

네가 더 이상 외출할 수 없게 되었을 때 반드시 어떻게 해서라도 끝을 보려고 너는 어둠 속에서 쪼그리고 있곤 했다. 네가 첫걸음을 뗀 후 한 12만 킬로미터 그러니까 지구를 대략 세 번 돌고 난 후였다. 너의 집으로부터 반경 4킬로미터도 절대 벗어나지 않고. 너의 집! 단테의 네 번의 미소 중 첫 번째를 끌어냈던 그리고 어쩌면 이미 천국의 어딘가에 마침내 있게 되었을 그 늙은 악기공을 쫓아낼 수 있길 기대하며 그렇게 버티고 있었다.[11] 이곳에 있는 자 누구와도 어떤 경우에라도 작별을. 창문이 없는 곳. 네가 다시 눈을 뜨면 어둠이 밝혀진다. 그러니까 지금 어둠 속에서 등을 대고 누워 있는 너는 예전에는 그 속에서 쪼그리고 있었다. 너의 몸이 더 이상 밖으로 나갈 수 없다고 네게 신호를 보냈기에. 작고 구불구불한 시골길들과 그 중간의 때로는 양 떼들로 인해 흥겹고 때로는 황량한 방목장들도 더 이상 지나갈 수 없다. 낡은 방랑자 차림의 네 아버지 그림자와 더불어 오랜 기간 동안을 그 후엔 혼자 오랜 기간 동안을. 네 발자국 수를 하나하나 추가해서 이미 계산된 합계를 항상 더 커지게 만들며. 마지막 총합을 정하기 위해 가끔씩 고개를 숙이고 멈추기도 하며. 그런 다음 제로부터 다시. 그렇게 웅크린 채 너는 그럴 가능성은 전혀 없음을 너무나 잘 알면서도 네가 더 이상 혼자가 아니라는 상상에 몰두한다. 그럼에도 그 과정은 말하자면 불합리함에 싸인 채 계속된다. 나는 내가 하는 일이 실패할 수밖에 없음을 알지만 그래도 계속한다, 라고 있는 그대로 네가 중얼거리지는 않는다. 그렇지는 않다. 왜냐하면 1인칭 단수와 더군다나 1인칭 복수는 너의 어휘 속에서 결코 등장한 적이 없기 때문이다. 하지만 이를테면 호지킨병[12]에 또는 취향에 따라 기도 중에 놀란 퍼시벌 포트 씨 병[13]에 걸린 낯선 사람처럼 너는 그렇게 말없이 스스로를 관찰한다. 가끔씩 기대하지 않았던 은총이라도 입은 듯 너는 눕는다. 몸의 다양한 부위들이 동시에 흔들린다. 팔이 무릎을 놓아준다. 머리가 들린다. 다리가 펴진다. 몸통이 뒤로 젖혀진다. 그리고 수많은 다른 부분들도 함께 제각각 움직이다가 더 이상 움직이지 못하게 되면 함께 움직임을 멈춘다. 이제 너는 등을 대고 누워 눕는 동작으로 인해 중단되었던 곳에서부터 너의 이야기를 다시 시작한다. 그리고 그 반대의 동작으로 인해 다시 중단될 때까지 계속한다. 이렇게 어둠 속에서 때로는 웅크리고 때로는 등을 대고 누워서 너는 헛된 노력을 하고 있다. 그리고 첫 번째 자세에서 두 번째 자세로의 이동이 시간에 따라 더 편하고 더 흔쾌히 이루어지는 것과 마찬가지로 그 반대의 이동은 정반대의 양상을 보인다. 그 결과 누워 있을 때의 일시적인 휴식이 습관이 되고 결국 규칙이 된다. 이제 어둠 속에 등을 대고 누워 있는 너는 팔 안에 다리를 꽉 끼우고 머리를 최대로 숙이는 앉은 자세로 더 이상 돌아가지 않을 것이다. 하지만 영원히 뒤로 젖혀진 너의 얼굴은 너의 이야기를 위해 헛되이 애를 쓸 것이다. 말들이 어떻게 해서 자신들의 끝에 이르게 되었는지를 네가 결국 듣게 될 때까지. 매번 마지막에 더 가까워지는 무의미한 말들로. 그리고 말들과 함께 이야기. 너와 함께 어둠 속에 있는 다른 누군가의 이야기. 너와 함께 어둠 속에 있는 다른 누군가의 이야기를 지어내는 너의 이야기. 그리고 결국 수포로 돌아간 노력이 어떻게 더 나은 것인지 그리고 언제나 그대로인 네 모습.

혼자.

(1979)

1. 영어 판본에서는 "얼른 그를 떠나라(Quick leave him)." 정도의 표현이지만 여기서는 프랑스어 판본을 따랐다.

2. 아프리카 대륙 남반부의 광대한 지역에 걸쳐 쓰이고 있는 언어군. '사람'을 의미하는 단어 '반투(bantu)'를 공유하는 데서 유래했다.

3. 인도유럽어족의 켈트어파에 속하는 언어군인 고이델어(Goidelic languages) 중 하나. 스코틀랜드게일어가 대표적이다.

4. 베케트가 어린 시절 어머니 메이 베케트와 함께 자주 가곤 했던 상점. 남더블린의 코닐스코트(Cornelscourt) 구역에 위치.

5. De Dion Bouton. 20세기 초 알베르 드 디옹과 조르주 부통이 공동 설립한 자동차 회사.

6. Ballyogan. 더블린 남부 근교의 거리. 베케트의 어린 시절과 연관된 곳으로, 현재 '사뮈엘 베케트 시민 회관(Samuel Beckett Civic Centre)'이 위치하고 있다.

7. Stepaside. 더블린 남부 근교의 마을. 베케트의 어린 시절과 연관된 곳.

8. 영어 판본에는 이 앞에 "듣는 자(The hearer)."라는 문장이 삽입되어 있다.

9. 영어 판본에는 과거 시제("네가 보아온[you have seen]")로 되어 있다.

10. 영어 판본은 "700억(seventy American billion)".

11. 단테의 『신곡』 중 「연옥 편」 제4곡에 등장하는 '벨라쿠아(Belacqua)'를 지칭하는 것으로 보인다. 피렌체의 음악가이며 악기공이었던 그는 게으름과 태만을 상징하는 인물이며, 그만큼 현세에서의 잘못을 뉘우치는 시기도 늦었던 탓에 천상으로 들어가기를 단념하고 연옥 문 밖에서 세월이 흐르기만을 기다리는 자이다. 베케트는 이 벨라쿠아라는 인물의 이미지에 깊은 인상을 받았으며, 이 인물은 베케트의 문학 속에서 여러 차례 언급되고 등장한다.

12. 호지킨 림프종. 이 병을 처음 발견한 영국인 의사 토머스 호지킨(Thomas Hodgkin)의 이름을 딴 것으로, 몸에서 면역 기능을 담당하는 림프계에서 발생한 악성종양이다.

13. Percival Pott. 정식 명칭은 '척추결핵'. 결핵이 척추를 침범해 척추후만증을 발생시키는 척추골염이다.

잘 못 보이고 잘 못 말해진

자신의 잠자리에서 그녀는 금성이 떠오르는 걸 본다. 계속. 자신의
잠자리에서 날씨가 맑으면 그녀는 태양에 뒤이어 금성이 떠오르는
걸 본다. 그러면 그녀는 온 세상의 원칙을 원망한다. 계속. 저녁에
날씨가 맑으면 그녀는 자신의 복수를 즐긴다. 금성에 대한. 다른
창문 앞에서. 자신의 낡은 의자에 뻣뻣하게 앉아 빛나는 것의 동정을
살핀다. 전나무로 된 살이 있고 팔걸이가 없는 그녀의 낡은 의자.
그 빛은 마지막 빛들로부터 떠올라 점점 더 밝아졌다가 기울어
자기 차례가 되어 소멸한다. 금성. 계속. 꼿꼿하고 경직된 채 그녀는
거기 짙어가는 그림자에 머문다. 온통 검은색 옷을 입고서. 자세를
유지하는 건 그녀로서는 어쩔 수 없는 일이다. 일어서서 어느 정확한
지점으로 향해 가다가 그녀는 자주 몸이 굳어진다. 한참 지난 후에야
다시 움직일 수 있을 정도로. 어디로 갈지 무얼 위해서 가는 건지도 더
이상 알지 못한 채. 그녀는 특히 무릎 꿇은 자세로 계속 있지 않기가
어렵다. 양손은 아무 받침대에라도 포개놓은 채. 이를테면 침대 발치
같은 것. 그리고 양손 위로 머리. 밤과 마주한 그녀는 이렇게 마치
돌처럼 변해버린다. 검은색과 구별되는 건 오직 흰 머리카락 그리고
얼굴과 손의 약간 푸르스름한 흰빛뿐이다. 보기 위해 빛을 필요로
하지 않는 한쪽 눈으로서는. 이 모든 걸 현재형으로. 아직 살아 있음이
그녀에게는 마치 불행이기라도 한 것처럼.

오두막. 그것의 위치. 조심. 시작. 오두막. 형태 없는 공간의 존재하지
않는 중심에 있는. 결국 다른 것보다는 원형에 가깝다고 할 수
있는. 물론 평평한. 그곳에서 직선으로 나오려면 그녀에겐 5분에서
10분이 걸린다. 속도와 요골(橈骨) 동맥에 따라. 돌아다니는 걸
좋아하는―돌아다니는 법을 이제 알지 못하는 그녀는 더 이상
이곳을 절대 돌아다니지 않는다. 거기선 조약돌들이 점점 더 많이
생겨난다. 가장 형편없는 풀은 거기서 점점 드물게 생겨난다. 메마른
초원의 한가운데 고립된 그 풀은 천천히 그곳을 잠식한다. 누구도
거기에 맞서지 못한 채. 한 번도 제지당해본 적조차 없이. 마치 어떤
불운이라도 되는 것처럼. 이런 장소에 오두막은 왜 있는 걸까?
거기서 도대체 뭘 할 수 있었을까? 조심. 아주 오래전 그것이
만들어졌을 때 개자리속 풀이 담장에까지 도달해 있었다고
대답하기 전에. 게다가 잘못은 오두막에 있다고 암시하는 거라면.

그리고 마치 불길한 온상처럼 그곳으로부터 악이 퍼졌다고 어떻게
잘못 말해야 할지도. 그곳을 파괴하라고 권했던 사람은 결코
아무도 없었다. 마치 어떤 숙명이 그곳을 보호하기라도 하듯. 결국
그러하다. 달빛의 놀라운 효과로 눈부시게 흰 조약돌. 날씨가
맑으면 반대일 거라는 가정. 그러면 금성이 지고 가까스로 기운을
차린 노인은 재빨리 다른 창문으로 가서 또 다른 경이로움이
떠오르는 걸 본다. 그것은 높이 올라갈수록 점점 더 하얗게 되어
조약돌들을 점점 더 하얗게 만든다. 얼굴과 두 손을 창문에 기대고
뻣뻣이 서서 그녀는 오래도록 감탄한다.

두 개의 영역은 대략 원형의 내부를 이루고 있다. 마치 떨리는
손으로 대충 윤곽을 잡은 것처럼. 지름? 조심. 1천 미터. 그보다는
덜. 평균적으로. 그 외에는 미지수. 다행히도. 종종 바다보다
더 낮은 것 같다는 느낌. 특히 날씨가 맑은 밤에는. 가깝기는
하지만 보이지 않는 바다. 들리지도 않는. 풀 아래로는 온통 평면.
자갈투성이의 지역을 일단 지나고 나면. 석회질 토양에서 벗어난
곳을 제외하고. 크기가 고르지 않은 수많은 희끄무레한 얼룩들.
달빛 아래 놀라운 광경. 짐승이라고는 오직 양들만 있기 때문에.
긴 망설임 후에. 그들은 하얗고 그 정도로 만족한다. 어디로부터
갑자기 왔다가 다시 또 어디로 떠나는지. 목동도 없이 그들은
마음대로 돌아다닌다. 꽃들? 조심. 다시 또 몇 개의 사프란속들만.
새끼 양들이 태어나는 시간에. 그러면 남자는? 결국 완전히
사라져버린 걸까? 아 그건 아니고. 그를 더 이상 보지 못하는
것에 대해 언젠가 그녀는 놀라지 않을까? 그녀는 더 이상 놀랄
수가 없으니 놀라지는 않을 것이다. 얼마나? 어떤 일이 있더라도
하나의 숫자. 열둘. 그것들로 수평선에서부터 작은 원을 채울 수
있도록. 그녀는 발치의 땅에서 눈을 들어 올려 그중 하나를 본다.
거기서 고개를 돌려 또 하나를 본다. 그렇게 계속. 항상 멀리서.
움직이지 않거나 멀어져가는. 그 어떤 것이라도 자신을 향해 오는
걸 그녀는 결코 본 적이 없다. 아니면 그녀가 잊었거나. 그녀는
잊어버린다. 그들은 늘 같은 이들일까? 그들은 그녀를 보고
있을까? 그만.

황무지였더라면 일이 더 수월했을 텐데. 하지만 더 수월하게
만드는 게 문제가 아니다. 새끼 양들이 꼭 필요했다. 옳건 그르건
간에. 황무지는 새끼 양들을 허락했으리라. 하얗게 만들어줄 새끼
양들. 그리고 아직 모호한 다른 이유들 때문에. 다른 이유. 갑자기
더 이상 한 마리도 남지 않도록. 새끼 양들이 태어나는 시간에.
이따금씩 그녀가 올려다봐도 더 이상 하나도 볼 수 없도록.
황무지였더라면 그들을 배척하지 않았을 텐데. 결국 이미 끝난
일이다. 그리고 새끼 양들 몇 마리. 어떤 활발함도 찾아볼 수 없는.
풀밭 속 하얀 얼룩들. 무심한 어미들에게서 떨어져 나온. 움직이지
않는. 그러고는 잠시의 방황. 그러고는 다시 부동(不動). 그렇게
계속. 이 시대에 아직도 살아 있는 이들이 있다니. 진정하자.

어떤 장소가 그녀의 마음을 끈다. 가끔씩. 그곳에 바위가 하나
서 있다. 멀리서 하얗게 보이는. 바로 그것이 그녀의 마음을
끈다. 가로보다 세로가 세 배나 되는 모서리가 둥근 직사각형. 네
배. 지금 그녀의 키보다. 그녀의 작은 키. 마음이 끌리면 그녀는
그곳에 가야 한다. 그녀의 집에서는 보이지 않는다. 그녀는
눈을 감고도 거기 갈 수 있을 것이다. 그녀는 더 이상 혼잣말을
하지 않는다. 말을 많이 해본 적도 결코 없다. 지금은 전혀 하지
않는다. 아직 살아 있다는 게 그녀에게는 마치 불행이기라도 한
것처럼. 하지만 그런 순간들에 그녀 발치에서는 기도가, 그녀를
데려가세요. 특히 날씨가 맑은 밤에는. 달이 있건 없건. 그들은
그녀를 데려가 그곳 앞에서 그녀를 멈춰 세운다. 거기서 마치
그녀도 바위가 된 듯하다. 하지만 검은 바위. 때로 달빛 아래.
대부분은 별들. 그녀가 그걸 부러워한 걸까?

상상 속의 문외한에게 오두막은 빈집처럼 보인다. 쉬지 않고
감시를 해봐도 그곳엔 어떤 존재의 흔적도 없다. 이 창 저 창에
눈을 대고 봐도 검은 커튼밖에 보이지 않는다. 문에 붙어서
한참 동안 움직이지 않고 그는 귀를 기울인다. 아무것도 없다.
두드려본다. 아무도 없다. 작은 빛줄기라도 하나 보려고 밤새도록
감시하지만 헛된 일이다. 결국 자기 사는 곳으로 돌아가 고백한다,

아무도 없어. 그녀는 자기 가족들에게만 모습을 드러낸다. 하지만 그녀에게는 가족이 없다. 아니 아니 한 명 있다. 그런데 누가 그녀의 가족인가.

그녀가 자갈밭에 모습을 드러내지 않았던 때가 있었다. 아주 오랫동안. 그러니까 나오는 것도 들어가는 것도 보이지 않았던 것이다. 그녀가 초원에만 모습을 드러내던 때. 그러니까 그곳을 떠나는 모습이 보이지 않았다. 어떤 황홀함에 사로잡혔을 때만 빼고는. 하지만 조금씩 그녀는 그곳에 모습을 드러내기 시작했다. 자갈밭에. 처음엔 눈에 띄지 않게. 그다음엔 점점 더 선명하게. 두 방향의 문턱을 넘어 자신의 뒤로 문을 닫는 모습이 자세히 보일 때까지. 그 후엔 자신의 벽 안에서 모습이 보이지 않았던 순간. 아주 오랫동안. 하지만 조금씩 그녀는 그곳에 모습을 드러내기 시작했다. 눈에 띄지 않게. 사실 그 시간은 아직도 계속된다. 그녀가 더 이상 그곳에 있지 않음에도 불구하고. 오래전부터.

그렇다 지금까지는 오직 그녀 집 창문에서만. 이쪽 또는 다른 쪽 창문. 하늘 앞에서 넋을 잃고. 지금까지는 어둠 속의 잠자리와 유령 같은 의자만이 불완전하게 어렴풋이 보일 뿐. 그리고 사소하게 오며 가며 하다가 갑자기 굳은 듯 멈춰버리는 이런 방식. 그리고 그녀의 끝도 없는 무릎 꿇기. 하지만 그녀는 거기에서 조금씩 더 잘 보이기 시작한다. 다른 물건들과 함께. 베개 아래에서 — 어떤 서랍 깊숙한 곳에서 어둠으로부터 벗어난 이 앨범 같은 것. 그녀가 원할 때 그녀는 아마도 그것을 뒤적일 것이다. 늙은 손가락들이 최선을 다해 페이지를 넘기는 모습이 보일 것이다. 머리를 더 숙여 그 상태로 오래도록 움직이지 않는 모습들은 과연 어떨 것인가. 누가 알까 지금으로서는 그저 말라버린 꽃들일 뿐이라는 걸. 진이 다 빠진. 기껏해야!

하지만 그녀가 최선의 준비가 되어 있을 때 그녀를 신속하게 붙잡아보자. 그녀 집에서 멀리 떨어진 초원에서. 그녀는 자갈밭을 넘어 그곳에 있다. 조금씩 점점 더 선명해진다. 그녀의 외출이 점점 더 뜸해지는 게 여실히 보인다. 말하자면 겨울에만. 겨울 그녀는 집에 겨울이 오면 돌아다닌다. 집 밖으로 멀리. 그녀는 고개를 숙이고 느린 걸음으로 끝없이 방향을 바꾸며 눈을 가로지른다. 저녁이다. 다시 또 한 번의 저녁. 눈 위에 드리워진 그녀의 긴 그림자가 그녀와 동행한다. 다른 사람들도 거기 있다. 주위에 온통. 열둘. 멀리서. 움직이지 않거나 멀어져간다. 그녀는 눈을 들어 그중 하나를 본다. 거기서 고개를 돌려 또 하나를 본다. 이제 그녀의 몸은 다시 굳어진다. 지금이 마지막 기회다. 하지만 뭔가가 막아선다. 검은 베일의 앞부분을 얼핏 본 것 같다고 생각되는 바로 그 순간. 조금 후엔 얼굴. 눈을 내리깔기 전의 바로 그 순간. 가까운 햇빛에 오직 눈만 볼 수 있도록. 그러고는 주변의 그녀 발자국들이 너무나 느리게 사라진다.

무엇이 그녀를 보호하고 있는가? 심지어 그녀 자신으로부터도. 사태를 파악하려는 중에 눈을 내리깔게 하고. 알아낸 것을 의심하게 하고. 예측하지 못하도록 하는. 무력한 그녀. 끝나가는 삶. 그녀의 삶. 타인의 것인 그녀의 삶. 하지만 너무나 다르게. 그녀는 아무것도 필요로 하지 않는다. 말로 표현할 수 있는 그 어떤 것도. 하지만 다른 것. 어떻게 뭔가를 필요로 할 수 있는가? 아니 어떻게? 도대체 어떻게 뭔가를 필요로 할 수 있는가?

그녀가 사라진 기간들. 오랜 기간들. 사프란속이 자라던 시기에는 먼 무덤 쪽이었을 것이다. 다시 이런 걸 상상한다. 낮은 가지를 붙잡거나 팔에 십자가나 화환을 두르고. 하지만 그녀의 소멸에는 계절이 따로 없다. 1년 중 어느 때라도 그녀는 더 이상 존재하지 않을 수 있다. 갑자기 어느 곳에서도 보이지 않게 되는 것. 육신의 눈으로도 다른 어떤 것으로도. 그런 다음엔 또 갑자기 거기 나타난다. 한참 후에. 그런 식으로 계속. 그 누구라도 단념할 것이다. 아무도 없어, 하고 고백할 것이다. 더 이상 아무도. 그와는 다른 또 누군가. 그는 그녀가 다시 나타나기를 기다린다. 다시 시작할 수 있도록. 다시 — 어떻게 말할까? 어떻게 잘못 말할까?

사막의 어떤 작은 것을 뚫어지게 응시하는 눈에는 눈물이 가득
고여 있다. 그 집의 미친 여자는 슬픈 마음으로 기꺼이 그렇게
한다. 사라진 여자가 바다의 소리를 듣는 밤이 온다. 더 빨리
가기 위해 자신의 치마를 걷어 올려 장화를 드러내고 장딴지까지
스타킹을 내린다. 눈물. 마지막 표본으로 그녀는 문 앞에서 자신의
보잘것없는 무게로 애쓰고 애써서 포석(鋪石)을 하나 파낸다.
눈물.

스타킹 때문에 느슨해지기 전에 장화의 단추들을 잘 못 채울
시간이 있다. 늘 그렇듯이 눈물이 고갈되고 나면 이제 단추
고리가 그 무엇보다 더 커진다. 색 바랜 은으로 된 그것은 못에
연결된 고리로 인해 물고기 모양을 하고 있다. 그것은 끝없이
미세하게 흔들린다. 마치 그곳의 땅이 끝없이 흔들리기라도 하는
것처럼. 미세하게. 타원형 손잡이의 무늬는 비늘을 연상시킨다.
아직 메마른 눈은 약간 굽은 장화의 긴 목을 따라 고리 또는
바늘까지 올라간다. 하도 잡아당긴 탓에 그것은 구부러진 형태를
잃어버렸다. 이따금씩 더 이상 쓸모없는 것처럼 보일 정도로. 그런
뒤틀림은 집게를 사용하면 쉽게 고칠 수 있다. 예전에 그녀가
시도해본 적이 있었을까? 조심. 점점 더 멀리. 더 이상 그걸 할 수
없을 때까지. 더 이상 장화를 쥘 수 없을 때까지. 오 힘이 없어서
그런 게 아니라. 못에 거는 고리가 쓸모없게 된 이후로. 끝없이
미세하게 흔들리며. 날씨가 맑은 어떤 저녁들에 비춰지는 은빛.
그런 순간에 대한 클로즈업. 모든 걸 무시하고 못이 지배하는
순간. 갑자기 희미해지기 전까지 오랜 시간 동안 이 이미지.

그녀가 거기 있다. 다시 거기. 밖에서 지켜보는 눈은 잠시 주의를
돌리기를. 새벽 또는 해 질 녘. 하늘로 주의를 돌리기. 하늘의
무언가에 의해. 그것이 다시 시작될 때 더 이상 커튼이 닫혀 있지
않도록. 하늘을 보려는 그녀에 의해 다시 열리기를. 하지만 그렇지
않더라도 그녀는 거기 있다. 다시 거기. 커튼이 열리지 않아도.
갑자기 열린다. 섬광. 그런 갑작스러움이라니! 멈추지 않고
움직이지도 않는 그녀. 시작하지 않았지만 어디론가 가고 있는.

가버리지 않았지만 가고 있는. 돌아오지 않은 채 돌아온. 갑자기
저녁이다. 또는 새벽. 눈이 헐벗은 창문을 응시한다. 하늘의
그 어떤 것도 더 이상 그녀의 관심을 끌지 못할 것이다. 실컷
바라보던 모든 시간. 탁! 닫혔다. 아무것도 움직이지 않았다.

이미 모든 것이 뒤섞인다. 물건들과 망상들. 늘 그렇듯이.
뒤섞이고 무효가 된다. 대비를 했음에도 불구하고. 그녀가 그저
그림자밖에 될 수 없다면. 순수한 그림자. 이토록 죽어가는 이
늙은 여자. 이토록 죽어버린. 다른 어떤 곳도 아닌 두개골 속의
정신병원 안에서. 더 이상 어떤 대비도 할 수 없는 곳. 가능한
대비들도 더 이상 없는. 남은 것들과 함께 거기 감금되어버린.
오두막 자갈밭 그리고 온갖 잡동사니. 그리고 감시자. 그러면
모든 게 얼마나 간단할까. 모든 게 그저 그림자에 불과하다면.
존재하지도 않고 존재했던 적도 없고 존재할 수도 없이. 진정하자.
계속. 조심.

이곳엔 다행히도 두 개의 빛. 두 개의 작은 원형 창. 원추형의
지붕에서부터 각 면은 자기 창을 가지고 있다. 각자 양쪽에서
희미한 빛을 분출한다. 그러니까 천장에서부터가 아니다.
당연하게도. 그렇지 않다면 커튼이 닫혔을 때 그녀는 매 순간 어둠
속에 있을 것이다. 그다음엔? 그녀는 더 이상 눈을 들어 올리지
않는다. 하지만 눈을 뜨고 누워서 그녀는 꼭대기를 얼핏 본다. 낮
동안 떨어지는 희미한 빛 속에서. 항상 더 약해지는 희미한 빛.
유리는 늘 더 혼탁해진다. 온통 검은 옷을 입고 그녀는 왔다 갔다
한다. 긴 검은 치마 끝자락이 바닥을 스친다. 하지만 대부분의
경우 그녀는 움직이지 않는다. 서 있거나 앉은 채. 누워 있거나
무릎을 꿇은 채. 낮 동안 그녀에게 떨어지는 희미한 빛 속에서.
그렇지 않다면 그녀가 좋아하는 대로 커튼이 닫혔을 때 그녀는 매
순간 어둠 속에 있을 것이다.

그다음으로는 그림자에서 안쪽 벽이 모습을 드러낸다. 그러다가
조금씩 사라지고 이어진 공간이 나타난다. 동쪽에는 잠자리.

서쪽에는 의자. 그러니까 오직 그녀의 사용에 따라서만 나눠진 장소. 모든 면으로 봐서 한 사용자의 내부가 이보다 더 나을 수 있을까. 눈은 안도의 숨을 쉬지만 오랫동안은 아니다. 벽이 천천히 다시 모습을 갖추기 때문이다. 바닥에서 천천히 나타나 올라오다가 그림자 속으로 사라진다. 희미한 빛. 저녁이다. 단추 고리가 석양빛에 반사된다. 잠자리가 가까스로 모습을 드러낸다.

그녀가 보이지 않게 되면서 무력함에 지친 눈은 열두 명 쪽으로 시선을 돌린다. 그녀가 그들에게서 벗어나듯이 그녀에게서 벗어난다. 혼자가 된 그녀는 몸을 돌려 시선을 바닥에 고정한다. 그녀의 발치에서 길이 멈춘 그곳. 겨울 저녁. 모호하다. 너무나 오래된 일들이다. 혼자가 된 눈은 결국 부득이하게 열두 명 쪽을 향한다. 그중 아무나. 그는 멀리 정면의 석양과 마주 선다. 땅에까지 오는 어두운 외투. 아주 오래된 볼록 모자. 마지막 빛으로 인해 마침내 드러난 정면 얼굴. 밤이 되기 전에 빨리 확대해서 뚫어지게 볼 것.

보기 위해서 어떠한 빛도 필요치 않은 눈은 서두른다. 밤이 되기 전에. 그런 식이다. 그렇게 스스로를 부정한다. 그러고는 혼란에서 자유로운 자신의 눈꺼풀 아래서 흡족—무력해진다. 그녀가 아니라면 그들이 무엇을 둘러쌀 수 있을 것인가? 조심. 더 이상 눈을 들어 올리지 않는 그녀가 눈을 들어 그것을 본다. 움직이지 않거나 멀어져가는. 멀어져가는. 너무 가까이서 보인 것들이 다시 원래의 거리를 유지한다. 다른 것들이 다가옴과 동시에. 그녀가 돌아다니느라 멀어져갔던 것들. 그녀는 그들이 자신 쪽으로 한 걸음이라도 향하는 걸 결코 본 적이 없다. 아니면 그녀가 잊어버렸거나. 그녀는 잊어버린다. 이제 그들이 그렇게 한다. 다가오지 않은 채. 그렇게 그들은 그녀를 계속 중심에 둔다. 대략. 그녀가 아니라면 그들이 무엇을 둘러쌀 수 있을 것인가? 그녀가 자유롭게 사라지는 그들의 원 안에. 그들이 그녀가 사라지게 내버려두는 그곳. 그녀와 함께 사라져버리는 대신에. 이런 식으로 횡설수설한다. 눈이 자신의 거리를 품고 있는 동안. 바로 자신의 어둠 속에서 무력하게. 전체적인 어둠 속에서.

그녀를 다시 볼 수 있으리라는 희망이 거의 사라져갈 때
그녀가 다시 나타난다. 얼핏 보기에는 거의 변하지 않은 모습.
저녁이다. 항상 저녁일 것이다. 밤을 제외하고는. 그녀는 초원의
끄트머리에서 나타나 가로지르기 시작한다. 마치 무게가
빠져나가는 것처럼 떠다니는 걸음으로 천천히. 갑자기 멈췄다가
또 갑자기 다시 출발. 이런 추세라면 그녀가 도착하기 전에 밤이
될 것이다. 하지만 시간이 필요에 따라 제동을 건다. 그녀의
속도와 맞춘다. 그래서 그녀의 여정 처음부터 끝까지 늘 같은
석양빛. 겨우 양초 몇 개 정도의. 가까스로 남쪽으로 몸을 이끌며
그녀는 곧 나타날 달을 향해 자신의 길고 어두운 그림자를
드리운다. 마침내 그들이 손에 커다란 열쇠를 들고 문 앞에
나타난다. 밤과 동시에. 저녁이 아닐 때는 밤일 것이다. 고개 숙인
그녀가 동쪽을 마주 보고 서 있다. 머리카락에서 하얀 후광. 오래
사용해서 반들거리는 낡은 열쇠만이 한 손가락에 걸려 움직인다.
희미하게 오가며 흔들리는 그것이 달빛에 희미하게 반짝인다.

아래쪽에서부터 잠식당한 얼굴이 마침내 모습을 허락한다.
포석이 반사하는 희미한 빛에 의해. 몇 세기에 거친 왕래로 인해
반들거리고 완만하게 오목한 차분한 돌. 납빛과도 같은 흰색. 주름
하나 없는. 이 오래된 얼굴은 어찌나 평온해 보이는지. 최근에
죽은 몇몇 얼굴들만큼이나. 사실 아직 빛을 바랄 여지는 있다.
감긴 두 눈이 자신들의 눈동자를 내놓은 건 아니다. 그것들이
엷게 바랜 푸른빛에 둘러싸여 있었다고 훗날 말해질 것이다.
거기서 눈물이 흘러도 낯설지 않을 수 있는. 상상할 수도 없는
예전의 눈물. 갈색 머리 소녀였던 그녀의 흔적과도 같은 칠흑빛
속눈썹. 어쩌면 그랬을지도. 어렸을 때. 갈색 머리 소녀였을 때.
입술의 신호에 따라 코를 건너뛰지만 입술은 말을 시작하자마자
중단해버린다. 하늘빛에 따라 어두워지는 포석. 이제부터는 검은
밤. 그리고 새벽엔 아무도 없다. 그녀가 집으로 돌아갔는지 아니면
어둠을 틈타 다시 떠났는지 판단할 수 없게 된 채.

희끄무레한 조약돌들은 해마다 더 많아진다. 말하자면 매 순간. 이런 식으로 계속되기만 한다면 그것들은 모든 걸 묻어버리게 될 것이다. 첫 번째 영역은 처음에 잘 못 보였을 때보다 이미 더 넓어졌고 해마다 조금씩 더 그렇다. 저마다 독특한 수많은 작은 무덤들이 달빛 아래 만들어내는 놀라운 광경. 하지만 그녀에게서 위안받을 수 있는 건 거의 없다. 그렇다면 결국 또 다른 잘못된 이름의 초원을 향해 떠나는 것. 풀들이 흰 땅에서 사라져가고 희끄무레한 반점들이 흩어져 있는 백화(白化)되어가는 방목장. 석회암이 드러나는 걸 응시하며 눈이 자신의 고통을 극복한다. 사방에 돌들이 점점 더 많아진다. 흰색. 해마다 조금씩 더. 말하자면 매 순간. 매 순간 사방에서 흰색이 더 늘어간다.

눈은 자신이 배신당한 장소들로 돌아갈 것이다. 눈물이 얼어버린 그때로부터 100년간의 휴식 중. 다시 뜨거운 눈물을 흘릴 수 있는 잠시 동안의 자유. 축복과도 같았던 예전의 눈물에 대해. 하얀 광석들의 무리를 즐기며. 어쩔 수 없이 그 위로 자꾸 더 쌓여만 가는. 이렇게 계속된다면 하늘에 이를 것이다. 달. 금성.

그녀는 자갈밭에서 초원으로 내려간다. 마치 서커스의 어느 한 단(段)에서 다음 단으로 내려가듯이. 시간이 메우게 될 간격. 자갈이 그것을 뒤덮는 것보다 더 빠르게 또 다른 땅이 자갈 언덕 아래서 솟아오르기 때문이다. 이 모든 게 지금으로서는 소리 없이. 시간이 이 침묵을 끝낼 것이다. 저녁과 밤 동안 이 거대한 침묵. 그러니까 가장자리를 따라 자갈과 자갈이 부딪치는 희미한 소리. 너무 많아서 넘쳐나는 것들이 새로 생겨나는 것들과 부딪치는. 처음엔 가끔씩. 그러고는 점점 더 빈번하게. 계속되는 구르는 소리와 뒤섞일 때까지. 아무 소리도 들리지 않을 때까지. 그런 다음 높이가 같아짐에 따라 약해져서 다시 침묵이 찾아올 때까지. 저녁과 밤. 그 사이에 그녀는 갑작스럽게 초원에 발을 두고 앉는다. 알 수는 없지만 그저 빈손으로 무덤을 향해 가는. 그러니까 오히려 거기서 돌아온. 돌아오는 중인. 몸이 굳은 그녀는 늘 그랬듯이 돌로 변해버린 것 같은 인상을 준다. 다른 경계들을 마주한 눈은 서툴게라도 보려고 감아보지만 헛된 일이다. 마침내 그들이 잠시 모습을 드러낸다. 그녀가 항상 그들을 지나쳐 왔던 북쪽 끝에서. 잠들어 있는 빛나는 안개. 천국과 뒤섞이는 그곳.

길고 흰 머리카락들이 부채 모양으로 곤두선다. 평온을 유지하고 있는 얼굴 위로 이쪽저쪽에서. 예전의 두려움에서 결코 벗어나지 못한 것처럼. 또는 아직도 같은 충격을 받고 있는 것처럼. 아니면 다른 충격. 차갑게 얼어붙은 얼굴을 하게 만드는. 비명의 눈을 지닌 침묵. 어떤 걸 말할까? 잘 못 말하기. 어떤 것? 둘 다. 셋 다. 그것이 대답.

자갈밭에 앉은 그녀는 등을 보이고 있다. 골반부터 위쪽으로. 검은 사각형 몸통. 검은 레이스 깃 아래 목덜미. 반쯤 후광이 감도는 흰 머리카락. 북쪽을 마주하고 있는. 무덤 쪽. 어쩌면 그녀는 수평선을 응시하고 있을 것이다. 아니면 눈을 감고 돌을 보거나. 시들어버린 사프란속. 저녁은 이제 끝날 줄 모른다. 그녀는 스카프로 마지막 빛을 받는다. 그들은 아무것도 바꾸지 않았다. 검은 옷도 흰 머리도. 그들도 움직이지 않는다. 움직이지 않는 대기 속에서. 언제나 그랬듯 텅 빈 것처럼 고요한 저녁. 저녁과 밤. 풀을 응시하기만 하면 된다. 어쩌나 움직이지도 않고 잘 구부러지는지. 눈이 끈질기게 따라다니며 감시하는 중에 그녀가 몸을 떨 때까지. 아주 깊은 곳에서 오는 작은 떨림. 머리카락도 마찬가지. 곤두서서 움직이지 않는 머리카락들은 눈이 거의 포기하려는 순간에 마침내 떨린다. 그리고 늙은 육신 또한. 돌로 변해버린 것처럼 보였을 때. 머리부터 발끝까지 떨렸던 건 아닌가? 그녀가 그냥 가버려 또 다른 돌 곁에서 굳어지기를. 저 멀리 초원에 솟은 흰 바위. 그리고 눈도 이곳에서 다른 곳으로 넘어가기를. 왔다 갔다 하기. 그러면 얼마나 평온한가. 그리고 또 이런 폭풍우라니. 상복(喪服)의 거짓 평온함 아래서.

몽상의 상태가 아니고서는 더 이상 불가능하다. 더 이상 견뎌낼 수가 없다. 그녀와 그 나머지. 영원히 눈을 감고 그녀를 바라는

것뿐. 그녀와 그 나머지. 정말로 눈을 감고 죽도록 그녀를
바라보는 것. 공백 없이. 오두막에서. 자갈밭 너머로. 초원을.
안개 속에서. 무덤 앞. 그리고 돌아오는 것. 그리고 그 나머지.
영원히. 모든 걸. 죽도록. 거기서 벗어나기. 그다음으로 넘어가기.
다음 몽상으로. 이 더러운 육신의 눈을 정말로 감기. 무엇이
방해하는가? 조심.

실패 ─ 실패하게 되면 광기가 끼어든다. 남은 조각들로 인해.
아무렇게나 보여 아무렇게나 말해진. 어둠에 대한 두려움.
하얀색에 대한. 공허에 대한. 그녀가 사라지기를. 그리고 그
나머지. 정말로. 그리고 태양. 마지막 빛들. 그리고 달. 그리고
금성. 남은 건 이제 검은 하늘뿐. 흰 땅. 어쩌면 그 반대. 하늘도
땅도 이제 없다. 위아래가 다 끝났다. 검은색과 흰색 외엔
아무것도. 아무 곳에나 사방에. 어둠뿐. 공허. 다른 아무것도.
그것을 응시하기. 말 한마디 없이. 마침내 돌아오다. 진정하자.

공포가 지나가고 나면 그다음. 두 손. 내려다보이는. 두 손은
아랫배 위에 서로 포개져 있다. 요란한 흰색. 어두운 바닥에
의해 지워진 그것들의 희미한 납빛. 손목 쪽에 예상되는 레이스.
장식을 떠오르게 하는. 두 손이 조여진다. 풀어진다. 천천히
수축과 이완. 그리고 이 헐벗은 몸. 자신의 유일한 두 손들이 서로
마주 보는 동안. 자신의 유일한 아랫배 위에서. 물론 움직이지
않고. 의자 위에서. 그런 장면 이후. 천천히 마법이 풀린다. 두
손은 오래도록 자신들의 일을 계속한다. 움켜쥔 것을 조였다가
풀었다가. 힘들어하는 심장의 리듬에 따라. 갑자기 두 손이 떨어질
때의 절망. 갑자기 천천히. 상승 운동 속에서 서로 떨어지고
바닥을 보이며 고정된다. 이제 우리의 손바닥이다. 그러더니 잠시
후 마치 손금을 감추려는 것처럼 다시 뒤집혀 허벅지 위쪽으로
무기력하게 떨어진다. 가랑이 바로 근처. 그러자 왼손 약지가
없는 게 보인다. 아마도 부어올라 ─ 아마도 첫 번째와 두 번째
손가락뼈 사이의 연결 부분이 부어올라 방황하던 어느 날 반지를
빼기가 불가능해졌던 모양이다. 보석 없는 그런 종류의 반지. 두

개의 조약돌처럼 움직이지 않는 두 손은 역시 그것들처럼 시선을 경계한다. 옷 아래로 살이라도 느끼고 있을까? 옷 아래의 살은 그 손들을 느끼고 있을까? 그러면 그 손들은 절대 떨지 않으려는 걸까? 오늘 밤은 분명 아니다. 손들이 그럴 시간을— 눈이 그럴 시간을 갖기 전에 모습이 희미해지기 때문이다. 잘못은 누구에게 무엇에게 있는 걸까? 손들? 눈? 없어진 손가락? 반지? 비명? 어떤 비명? 다섯 모두에게. 여섯 모두에게. 모두에게. 모든 것에게. 잘못은 그 모두에게. 모두.

초원에는 겨울 저녁. 눈이 그쳤다. 걸음이 너무나 가벼워 자국조차 거의 남지 않는다. 멈춘 다음에 자국이 거의 남지 않는다. 그저 흔적만 간신히 보일 정도로. 흩날리는 눈. 이렇게 표류할 때 그녀는 머리를 어디로 향하고 있는가? 그냥 정처 없이 이곳저곳? 아니면 신기루를 향해 똑바로? 멈추는 곳은 또 어디인가? 눈이 마침내 멀리서 더러운 얼룩 같은 것을 알아본다. 그것은 결국 표면이 미끄러져 내리기 시작한 급격한 경사의 지붕이다. 어둡고 낮은 하늘 아래 북쪽을 잃어버린다. 열두 명이 눈에 지워진 채 거기 있다. 그녀가 눈을 들어 올렸더라도 보지 못했을 것이다. 반대로 그녀는 눈 한 송이 맞지 않은 탓에 완전무결한 어둠 속에 있다. 이제 그들에게 남은 거라고는 그들이 하던 대로 다시 넘어지기 시작하는 일뿐이다. 우선 이곳저곳으로 한 명씩. 그런 다음엔 움직이지 않은 대기 속에서 점점 더 많은 수가 넘어지기. 천천히 그녀가 사라진다. 그녀의 흔적 그리고 멀리 지붕의 흔적과 함께. 그녀는 어떻게 돌아갈 수 있을 것인가? 철새처럼. 말하자면 무사히.

오두막 안에서 그녀가 멀리 짙은 어둠을 하얗게 만드는 동안. 눈송이들이 지붕 위에서 바스러지는 속삭임조차 상상할 수 없는 침묵. 그리고 멀리서 이따금씩 진짜로 바스락거리는 소리. 그녀의 동반자. 이곳에서 눈은 감기지 않은 채 멀리 있는 그녀를 본다. 눈 속에서 눈에 덮여 움직이지 않고 있는. 못에 걸린 단추 고리가 마치 아무 일도 아닌 것처럼 떨린다. 검은

커튼을 마주한 의자가 고독을 토해낸다. 자신과 어울릴 만한
탁자도 없는 상황에서. 거기서 멀리 떨어진 구석에 이제 갑자기
골동품 같은 큰 상자 하나. 그것 또한 외로운 건 마찬가지. 누가
바스락거리는 소리를 내는지 알고 있는 그 상자. 그 깊은 안쪽에
마침내 결정적인 말이 있을지 누가 알까. 끝낼 수 있는 말.
하지만 오늘 밤엔 의자. 그것은 아주 오래전부터 같은 자리에
있는 것처럼 보인다. 그 자리가 비면 살 있는 등받이가 아쉬워할
만큼은 아니지만—아쉬워하는 것 이상으로. 그녀가 이곳에서
음식을 먹는다면 그녀는 바로 이곳에 앉아서 음식을 먹는다. 어둠
속에서 눈이 감기고 마침내 그녀를 보게 된다. 마치 그녀가 실제
거기 있는 것처럼 그녀는 오른손으로 무릎에 놓여 있던 그릇의
끄트머리를 잡는다. 왼손으로는 숟가락을 잡아 수프에 적신다.
그녀는 기다린다. 아마도 식히려는 듯. 아니. 뭔가를 시작하려던
순간에 다시 한 번 몸이 굳어진 것뿐. 마침내 우아함이 묻어나는
이중의 움직임 속에서 그녀는 그릇을 천천히 입술로 가져가는
동시에 역시 느린 동작으로 고개를 그쪽으로 숙인다. 같은 순간에
출발한 그들은 중간에 마주치고 거기서 동작을 멈춘다. 첫술을
떠서 그 일부가 다시 그릇에 떨어지기 전까지의 새로운 엄격함.
이런 식으로 몇 번을 계속 반복하다가 시작할 때만큼 정확하고
공들인 반대 방향의 작업이 시작되고 천천히 마무리된다. 그녀는
이제 다시 신화 속의 멤논처럼 뻣뻣하게 앉는다.[1] 오른손으로는
그릇의 끄트머리를 잡고 있다. 왼손으로는 숟가락을 잡아 수프에
적신다. 이것은 시작일 뿐이다. 하지만 다시 시작할 수 있게 되기
전에 그녀는 희미해지고 사라진다. 부릅뜬 눈앞에 남겨진 건 이제
고독 속에 잠긴 의자뿐이다.

어느 날 저녁 새끼 양 한 마리가 그녀를 따라왔다. 다른 양들처럼
도살용으로 길러지던 양이 거기서 떨어져 나와 그녀에게
달라붙은 것이다. 끝내려면 현재로. 너무 오래된 일들이다.
도살용이었다는 점만 빼면 그 양은 다른 양들과 다르다. 털이
나선형으로 땅에 끌려서 발을 확인하기가 어렵다. 걷는다기보다는
뒤에 끌고 다니는 장난감처럼 미끄러진다. 양은 그녀와 동시에

멈춘다. 그녀와 동시에 다시 헤매 다니기 시작한다. 그녀는 양이
쫓아오는 걸 알고 있을까? 그녀처럼 몸이 굳어진 양은 그녀처럼
과도할 정도로 고개를 숙인다. 마지막 빛들이 두드러지게 한
것을 완화시키기에는 턱없이 부족한 검은색과 흰색의 충돌. 그때
그녀의 작은 키가 눈에 선명하게 드러난다. 바로 그녀의. 아마도
그 보잘것없는 짐승이 그녀의 치마 속으로 들어간 덕분에. 짧은
수수께끼. 갑자기 그들이 함께 움직이기 때문이다. 자갈밭을 향해
휘적휘적. 그때 그녀가 몸을 돌려 앉는다. 그녀는 자신의 발치에
있는 그 흰 몸을 보았을까? 그녀는 이제 고개를 쳐들고 빈 공간을
바라본다. 이런 과장이라니. 또는 눈을 감고 무덤을 본다. 양은 더
이상 따라오지 않는다. 밤이 되자 그녀는 홀로 오두막을 향해 다시
길을 떠난다. 누가 보더라도 일직선으로.

질문들이 더 이상 필요하지 않았던 때가 한순간이라도 있었을까?
생겨나자마자 마지막 하나까지 다 죽어버리는. 이전에.
떠오르자마자. 이전에. 더 이상 대답이 필요 없던 때. 그럴 수조차
없던 때. 알고 싶지 않다고조차 할 수 없던 때. 그럴 수 없던 때.
아니. 결코. 그저 꿈. 그것이 대답.

이런 상태에 처한 눈으로 뭘 할 수 있을까? 하나씩 스치듯
사라져버리는 이런 어지러운 상태에서. 아니 그냥 더 이상 뜨지
말자. 그렇게 되기를. 그녀도 그렇게. 아니면 내버려두거나.
몸뚱어리와 무질서. 회복할 수만 있는. 소위 눈에 보이는
세상에서. 그 껍질. 다시 빠르게 차올랐다가 다시 잦아드는 구토.
그녀에 대한. 그녀가 완성될 때까지. 아니면 그만두게 될 때까지.
그것이 대답.

상자. 밤에 오랫동안 뒤져봤지만 비어 있다. 아무것도. 다만
마지막 순간에 먼지 아래서 발견된 마치 메모장에서 뜯어낸
것처럼 한쪽이 잘게 찢겨진 종이 끄트머리. 누렇게 바랜 한 면에
선명하게 잉크로 쓰인 단어와 숫자. 수 17. 또는 화. 수 또는 화 17.
그 외에는 깨끗한. 그 외에는 비어 있는.

그녀가 등을 대고 누워 있는 모습으로 다시 나타난다. 움직이지
않는. 저녁과 밤. 저녁과 밤 움직이지 않고 등을 대고 누워 있는.
잠자리. 조심. 무릎을 꿇고 쓰러진 것으로 보아 간신히 그냥
맨바닥에. 기도. 기도할 게 있다면. 하 그녀는 그저 더 조아리기만
하면 된다. 아니면 다른 곳에서. 의자 앞에서. 아니면 상자 앞에서.
아니면 자갈밭 끄트머리에서 머리를 자갈에 대고. 그러니까
바닥에 깔린 매트. 베개도 없이. 발부터 턱까지 검은 이불에 덮인
그녀는 머리만 내보인다. 단지 그것만! 저녁과 밤 동안 무방비
상태의 얼굴. 재빠르게 눈들이. 다시 뜨이자마자. 갑자기 나타난
눈들. 아무것도 움직이지 않은 채. 하나면 충분하다. 휘둥그레진
눈. 빛바랜 푸른빛의 초라한 후광을 보이며 크게 뜨인 동공. 어떤
기분의 흔적도 없이. 더 이상 어떤 흔적도. 초점 없이. 마치 더
이상 그럴 수 없는 것처럼 눈꺼풀이 닫힌 채 보인 사물들. 다른 쪽
눈이 거기 빠져든다. 그러다 자기도 다시 뜨인다. 그 또한 더 이상
어쩔 수가 없다.

갑자기 몰려드는 공허. 천정(天頂). 여전히 저녁. 밤이 아닐 땐
저녁일 것이다. 다시 또 죽어가는 불멸의 낮. 한쪽에는 잉걸불.
다른 쪽에는 잿더미들. 이기고 지는 끝없는 승부. 알아채지
못하는.

머리가 다시 이불 아래로 들어간다. 상관없다. 더 이상 아무것도
없다. 그건 사실이니까 현실과 ─ 그 반대를 뭐라고 할까?
아무튼 그 둘. 그 둘은 예전에 둘이었다 해도 지금은 뒤섞여
있으니까. 그리고 이 슬픔을 알고 있는 공모자로서 눈이 이제
이런 혼란만을 알려주기를. 상관없다. 더 이상 아무것도 없다. 그
둘이 거짓이라는 게 사실인 한. 현실과 ─ 그 반대를 어떻게 잘 못
말할까? 해독제.

상자에 대한 실망이 여전히 생생한데 이제 놀랍게도 뚜껑 문이
나타난다. 너무나 교묘하게 배치되어 있어서 눈을 감아도 살짝
보인다. 조심. 지체 없이 그것을 들어 올려 또 다른 실망을 감수할

수는 없다. 이런 영국식 가구를 흉내 낸 그것이 안에 뭘 지니고 있는지 그저 미리 음미해볼 뿐. 일단 나무로 된 바닥. 그 널빤지는 뚜껑 문이 보이지 않도록 뚜껑 문의 널빤지와 나란히 놓여 있다. 숨기고자 하는 이런 명백한 배려는 그럴싸하다. 하지만 경계할 것. 사실 어떤 종류의 나무를 알아본 것인가. 기왕이면 단단하고 짙은 색의 목재가 어울리지. 검은색에 검은색을 더하며 치마가 소리 없이 그것들을 스친다. 뼈대만 남은 의자가 그 무엇보다 창백하게 그 위에 서 있다.

그녀가 이불 아래 머리를 묻고 누워 있는 동안 무언가가 빠져나와 초원을 가로지른다. 그녀가 이미 죽어버렸다 해도 전혀 충격적이지는 않을 것이다. 그녀는 물론 죽어 있다. 하지만 지금으로서는 그건 적합하지 않다. 그래서 그녀는 이불 아래 아직 살아서 누워 있다. 알 수 없는 이유들 때문에 이불을 머리 위까지 끌어올린 채. 아니면 아무 이유도 없이. 밤이다. 저녁이 아닐 때는 밤이다. 겨울밤. 눈도 없는. 다양성의 문제. 단조로움 속에서. 이상하게도 늘어진 풀이 서리의 무게 아래 꼿꼿해진다. 그녀의 검고 긴 치마에 긁힌 그 풀들의 속삭임을 들어볼 필요가 있을 것이다. 얇은 얼음 막이 움푹 팬 맨바닥에서 반사해내는 달도 없이 별들만 가득한 하늘. 침묵은 아득히 멀리서 그리고 자신처럼 끊임없는 음악과 합쳐진다. 쉴 틈 없이 한꺼번에 불어오는 천상의 바람들. 모든 게 있는 곳으로. 멀리서 자갈이 희미하게 빛을 내고 오두막의 벽들은 이제 처음으로 하얗게 보인다. 말하자면 하얗다. 수호자들— 열두 명이 거기 있지만 이젠 전체가 아니다. 이럴 수가. 무엇보다 이해하려 하지 말 것. 충실하게 남아 있는 자들이 서로에게서 떨어졌다고만 기록할 것. 오늘 밤 초원에서 잘 못 보인 대로. 그녀가 이불 아래 머리를 묻고 살아서 누워 있는 동안. 좀 더 가까이서 조사해보니 그것은 커다란 외투다. 단추 채우는 방식으로 보아 남자의 것. 그녀는 눈을 감고서 그것을 보는지?

하얀 벽들. 때가 되었다. 첫날처럼 하얀. 바람도 없다. 한 줄기도. 공격하는 모든 것들 중 어떤 것의 공격도 없다. 태양이 벽들을 봐주다니 미스터리하다. 예전의 그 엄청난 태양. 그러니까 동쪽과 서쪽 면에는 어쩔 수 없는 충격. 남쪽 박공벽에는 문제가 없다. 하지만 다른 쪽. 이 문. 조심. 그것도 검은색? 그것 또한. 그리고 지붕. 슬레이트로 된. 좀 더. 작고 검은 슬레이트들 또한 폐허가 된 대저택에서 가져온 것. 이야기를 지니고 있는. 그것들의 이야기가 끝나갈 때. 이것이 잘 못 보이고 잘 못 말해진 집이다. 외형적으로는. 때가 되었다.

그녀 없이 다시 보였을 때 그녀를 사로잡은 돌은 다른 모습이다. 또는 그 돌 옆에서 보였던 그녀가 돌의 모습을 바꾼다. 이제 그 돌은 몸을 기울인다. 경우에 따라 뒤로 또는 앞으로. 원래 이런 미완성의 모습이었던가? 아니면 지극히 인간적인 어떤 손이 단념하지 않고 애를 쓴 것인지. 왕을 죽인 자의 흉상을 만들 때의 미켈란젤로의 그것과도 같은. 더 이상 질문할 수 없다면 최소한 더 이상 그에 대한 대답들도 없기를. 두말할 것도 없이 보기 드문 다양성을 지닌 화강암. 예전엔 검은색이었지만 벽옥(碧玉)으로 인해 흰색 얼룩이 생긴. 뒤집힌 면에는 뭐랄까 희미한 홈들이 있는. 눈이 헛되이 알아보려 애쓰는 수 세기에 걸친 낙서. 그녀는 겨울에 포석에 서서 그것이 멀리서 반짝이는 모습을 가끔 상상한다. 마지막 빛들이 서남서 쪽에서 와 스카프 아래 반쯤 드러난 그녀의 얼굴을 때릴 때. 이것이 초원 끝의 자기 자리에 혼자 있는 돌이 다시 잘 못 보인 모습이다. 꽃들과 함께 최대한 직선으로 길을 가 거기서 오래 머문다. 돌아올 때는 그렇게 빈손이다. 다음 단계로 가기 전의 휴식 시간. 이곳 또는 다른 곳의 거주지를 향해서. 최대한 직선으로.

그들이 나란히 선 모습으로 다시 나타난다. 서로 닿지 않고. 여전히 마지막 빛들을 비스듬히 받아 그들은 자신들의 길고 평행한 그림자들을 동북동 쪽으로 드리운다. 그러니까 저녁이다. 겨울 저녁. 언제나 저녁일 것이다. 언제나 겨울. 밤일 때만 빼고. 겨울밤. 새끼 양들은 더 이상 없다. 꽃들도 더 이상 없다. 그녀는 빈손으로 무덤을 보러 갈 것이다. 더 이상 거기 갈 수 없을 때까지 또는 거기서 더 이상 돌아올 수 없을 때까지. 결정된 일이다.
두 개의 그림자가 혼동될 정도로 닮아 있다. 하지만 결국 그중
하나가 마치 더 불투명한 몸에서 나온 것처럼 농도에 있어 다른
것을 압도한다. 움직이지 않는 상태에서. 눈이 집요하게 지켜보는
가운데 다른 것이 결국 흔들리자마자. 이런 대조가 계속되는
시간 내내 태양은 멈춰 있다. 말하자면 땅도. 서로 분리될 때가
되어서야 그것의 붕괴가 다시 시작된다. 그러면 초원과 그 후에는
자갈밭에 펼쳐진 자신의 모습 위로 아직도 생생한 그림자가
천천히 미끄러진다. 점점 더 길고 창백하게. 절대 완전히 사라지는
일 없이. 위에서 눈이 지켜보는 가운데.

시계 문자판 위로 클로즈업. 다른 건 아무것도 없다. 분 단위로
나눠진 하얀 원반. 초 단위로 나눠진 게 아니라면. 60개의 검은
점들. 어떤 숫자도 없는. 단 하나의 바늘. 검고 가는 작은 화살.
그것은 째깍거리지 않고 불규칙적으로 진행된다. 너무나 순식간에
다음 칸으로 이동해서 새로운 자리만이 그것이 움직였음을
알려준다. 그것이 한 지점에서 다른 지점으로 뛰어들기 전까지는
며칠 밤이 걸릴 수도 있고 단 한순간 또는 그 어떤 연결의 시간이
경과했을 수도 있다. 정확히 말하자면 그 어떤 순간에도 결코
한 칸도 건너뛰지 않고. 그것이 나타났을 때 동쪽을 가리키고
있었다고 가정해보자. 그러니까 그 기계가 균형을 잡고 자신의
마지막 시간의 15분을 나름대로 거쳐왔다는 가정. 자신의
마지막 분이 아닌 한. 이 경우 어떤 밤들에는 그것이 마지막까지
도달했는지 의심해봐야—절망적으로 생각해봐야 한다. 과연
북쪽을 되찾았을지.

그녀가 저녁에 창문가에 다시 나타난다. 밤이 아닐 때는 저녁이다.
그녀가 금성을 다시 보기 원한다면 창문을 열어야 할 것이다.
이럴 수가. 우선 커튼을 젖히고 창문을 연다. 그녀는 고개를
숙이고 그렇게 할 수 있을 때까지 기다린다. 아마도 너무 늦게야
그렇게 할 수 있었던 저녁들을 생각하고 있을 것이다. 어두운
밤이 되었을 때. 그렇지 않다. 머릿속에도 그저 기다림뿐이다.

63

커튼. 이런 공백의 시간 덕에 가까이서 관찰해보니 그것은 마침내 원래의 모습을 드러내게 된다. 놀랍게도 이불의 역할을 하는 그것과 유사한 검은 외투. 머리를 아래쪽으로 하고 막대에 걸린 그것은 마치 진열대의 죽은 고기처럼 뒤집혀서 펼쳐져 있다. 어쩌면 소매가 내려오도록 올바른 방향으로. 단추 고리 및 기타 장소들에서와 같은 미세한 흔들림. 창문과 아주 가까이 있는 의자의 위치 또한 이전과는 달라진 것. 이는 처음에 잘 못 보였던 것보다 더 높은 곳에 있는 이 멋진 표적을 눈이 충분히 높은 각도에서 볼 수 있도록 해주기 위한 것. 이제 너무나도 비워진 공간. 희미한 빛 속에서 수없이 왔다 갔다 하기에 적합한. 갑자기 한 동작으로 그녀는 외투를 젖혔다가 그것만큼이나 어두운 하늘을 보고 다시 닫는다. 이 모든 것의 갑작스러움! 그런 다음엔? 조심. 앉을까? 누울까? 나갈까? 그녀도 망설인다. 결국 왔다 갔다 하기로 결정할 때까지. 남북을 축으로 이 창에서 저 창으로 휘청대며. 친근한 어둠 속에서.

그녀가 사라진다. 그 나머지와 함께. 이미 잘 못 보인 것이 희미해지거나 다시 잘 못 보인 것이 무효가 된다. 머리가 신뢰할 수 없는 눈들을 배신하고 신뢰할 수 없는 말은 그들의 배신을 배신한다. 유일하게 확실한 건 안개뿐. 초원 너머로 밀려오는. 이미 초원을 덮었다. 자갈밭도 덮을 것이다. 그다음엔 이 집의 모든 갈라진 틈으로 들어올 것이다. 눈을 감아봐야 아무 소용 없다. 더 이상 안개밖에 보지 못할 것이다. 심지어 그조차도. 그 자신이 안개가 되어버릴 것이다. 그걸 어떻게 말할까. 그게 모든 걸 잠식하기 전에 어떻게 빨리 잘 못 말할까. 빛. 신뢰할 수 없는 말로. 안개 빛. 마침내 거대해진. 더 이상 아무것도 보이지 않는. 말해야 할 것. 진정하자.

얼굴이 아직도 마지막 빛들을 받고 있다. 자신의 창백함을 조금도 잃지 않은 채. 자신의 차가움. 수평선과 거의 닿을 듯한 태양이 이 모습의 시간을 위해 자신의 추락을 미루고 있다. 말하자면 곤두박질하는 땅. 얇은 입술들은 더 이상 절대 열리지 않을 것처럼

보인다. 제대로 다물어지지 않아서 액체로 추정되는 뭔가가
보인다. 예전에 입맞춤을 주고받았던 무대였을 것 같지는 않다.
아니면 주기만 했을지도. 아니면 받기만 했을지도. 입꼬리들이
미세하게 들려 있는 것만 기억해둘 것. 미소? 그게 가능할까?
마침내 마지막으로 단 한 번 미소 지었던 오래전 미소의 그림자.
갑자기 그녀를 떠난 마지막 빛들에 얼핏 잘 못 보인 입술처럼.
오히려 입술이 빛을 떠난 건지도. 언제나 미소가 있는 어둠을 향해
다시 떠난. 그게 미소라면.

빛에서 벗어나 다시 살펴보자 입이 변한다. 설명할 수 없는
방식으로. 입술에는 아무것도 변한 게 없다. 여전히 닫혀 있다.
여전히 제대로 삼켜지지 않아 조금씩 흘러나오는 액체. 여전히
보일 듯 말 듯 방심하고 있는 입꼬리. 미소라는 게 있다면 여전히
거기 존재한다고 해도 과언이 아닌. 더도 덜도 아니게. 그보다는
덜! 그래도 더 이상 같지 않은. 입술에는 아무것도 변한 게 없지만
미소는 더 이상 같지 않다. 빛이 왜곡하는 건 사실이다. 특히나
석양빛은. 이런 실패작. 가끔씩 보이지 않는 별에 고정되기도
하는 눈들이 이제 감긴 것 또한 사실이다. 아직은 때가 아닌
보이지 않는 다른 것들에. 결국 이렇게 설명된다. 두 눈을 크게
뜬 상태에서의 이 미소는 눈을 감았을 때의 그것과 더 이상 같지
않다. 두 번의 검사 사이에 입술이 전혀 움직이지 않았음에도
불구하고. 그래. 하지만 어떤 의미에서 더 이상 같지 않은 걸까?
그걸 미소라고 한다면 그건 전에 갖고 있지 않았던 무엇을 지금
갖고 있는가? 또는 더 이상 갖고 있지 않았던? 그만하면 됐다.
내버려두자.

여러 겨울들이 지난 후 되돌아오기. 한참이 지난 후 끝도 없는 이
겨울. 끝도 없는 겨울의 심장. 너무 이른. 버려졌던 모습 그대로
다시 나타난 그녀. 바로 그곳에. 항상 또는 다시. 어둠 속에서 눈을
감고. 어둠 속에서. 두 눈에 속한 그 어둠. 입술에는 미소라고 할
수 있는 걸 여전히 미세하게 띄우며. 한마디로 더도 덜도 아니고
오직 그녀만이 알고 있는 방식으로 살아 있는. 그보다는 덜!

진짜 돌과 비교하자면. 처음에 잘 못 보인 장소들만큼이나 슬픈 상태 속에서. 더 불투명해진 원형 창들이 그나마 다행스러운 예외가 되는. 다시 낮이 된다고 해도 거기로는 더 이상 빛이 거의 통과되지 않을 것이다. 반면 그 외에는 약간의 진행. 계속 이어지는 밤을 향해서. 사방에 돌. 밝자마자 지는 낮. 잘 못 보이고 잘 못 말해진 모든 것들이 폐기된다. 눈이 변했다. 그리고 그것의 허접한 설명도. 부재가 그것들을 바꾸어놓았다. 충분히는 아니다. 다시 떠나는 수밖에. 아직 더 바꿀 수 있는 곳으로. 거기로부터 너무 빨리 돌아온 것이다. 충분히 바뀌지 않았다. 충분히 낯설지 않다. 모든 잘 못 보이고 잘 못 말해진 것에게는. 그런 후 다시 돌아오기. 마침내 완전히 끝을 내버리기에 필요한 만큼 강하지가 않다. 그녀와 더불어 그녀의 하늘과 장소들을. 아직 너무 이르다면 다시 떠나는 것. 다시 바꾸기. 다시 돌아오기. 방해하는 것만 없다면. 아. 그렇게 계속. 드디어 끝을 낼 수 있을 때까지. 모든 난장판을. 계속 이어지는 밤 속에서. 사방에 돌. 그러니까 우선 떠날 것. 하지만 그 전에 그녀를 다시 볼 것. 그녀가 버려졌던 모습 그대로. 그리고 집. 변한 눈 아래서 그곳 또한 변하도록. 다시 시작하기를. 그저 작별 인사 한 번만. 그러고 나서 다시 떠나기. 방해하는 것만 없다면. 아.

그런데 갑자기 그녀가 이제 없다. 갑자기 그녀가 버려졌던 곳에서. 그러니 그녀가 다시 나타나기 전에 빨리 의자. 오래도록. 모든 각도에서. 그 어떤 한 마디로 그것의 변화를 말할 수 있을까? 조심. 적어진. 아 아름다운 한 마디. 적어진. 그것은 적어졌다. 똑같지만 적어진. 눈이 열심히 바라보는 곳에서는. 빛이 있는 건 사실. 이제 말들도 마찬가지. 이 작은 불행에 몇 방울 더하면 배뇨의 고통. 최소한으로 잘 못 말하자면. 적어진. 그것은 결국 더 이상 존재하지 않게 될 것이다. 결코 존재하지도 않았던 탓에. 신성한 관점. 빛이 있는 건 사실.

갑자기 지겨워져 회상에 자리를 넘긴다. 이런 것에 지쳐 눈은 다시 감기거나 다시 뜨이거나 아니면 원래의 상태로 남겨진다. 모든 것이 되돌아오는 시간. 마침내 처음으로 머리를 아래로 하고 걸린 검은 외투 두 벌. 이렇게 나타나기 시작해서 그다음으로는 아마도 상자로 보이는 것의 윤곽 그러다 갑자기 지겨워진다. 회상이라니! 모든 게 처음에 봤을 때보다 더 나빠져 있는데. 초라한 침대. 의자. 상자. 뚜껑 문. 변한 건 오직 눈뿐이다. 눈만이 그것들을 변하게 할 수 있다. 그러는 동안 부족한 건 아무것도 없다. 아니 있다. 단추 고리. 못. 아니. 그것들도 다시 있다. 어느 때보다도 더 나쁜 상태로. 더 나쁜 쪽으로 변하지 않은. 눈이여 우선 그것들에게 달려들어라. 하지만 그 이전에 칸막이벽. 그걸 치우면 그것들도 함께 치워질 것이다. 하나가 약해지는 만큼 다른 것들도 약해질 것이다.

모든 것들 중에서 아마도 가장 덜 완강한 것. 그것이 혼자 소멸되는 순간을 보고 또 보기. 말하자면 스스로의 움직임으로부터. 눈이 그 어떤 간섭도 하지 않은 채. 한참 지난 후에야 다시 같은 형체를 갖출 때까지. 마지못해 그러듯이. 어떤 이유로? 금방 알 수 있는 하나의 이유 때문에. 하지만 다른 이유들은 모호하다고 할 수 있는. 특히 다른 하나. 찾아내기엔 아직 먼 다른 하나. 마음이 끌려서? 두개골이? 둘 다 지옥? 이곳에서 들리는 건 저주받은 자들의 웃음소리.

이제 그만. 더 빨리. 의자가 자신의 모습과 전혀 어울리지 않게 되기 전에 빨리 볼 것. 아주 미세하게 적어진. 그 이상은 아니고. 무한대의 제로를 향하듯, 부재를 향한 좋은 출발. 빨리 그것을 말할 것. 그런데 그 여자는? 마찬가지. 빨리 그녀를 다시 찾을 것. 이 어두운 마음 안에서. 이 가짜 뇌 속에서.

종이. 떨리는 손가락 끝으로 잡고 있는. 두 장씩. 넷. 여덟. 늙은 손가락들이 열중하고 있다. 그건 더 이상 종이도 아니다. 여덟 번째 장마다 떼어놓는다. 둘로. 넷으로. 칼로 끝을 낸다. 잘게 자른다. 배수구로. 그다음 장. 하얀. 빨리 검게 만들 것.

얼굴만 홀로 남는다. 나머지는 이불 아래서 어떤 흔적도 없다. 살펴보는 동안 갑자기 어떤 소음. 그것이 중단되지 않은 채 정신이 깨어난다. 그걸 어떻게 설명할까? 그 정도까지는 아니더라도 그걸 어떻게 말할까? 눈의 한참 뒤에서 탐색이 시작된다. 사건이 희미해지는 동안. 그것이 무엇이었든지 간에. 그런데 갑자기 구원처럼 그것이 다시 시작된다. 결국 붕괴라는 평범하지 않은 보통명사. 쇠약한이라는 드문 말에 의해 곧 강조되거나 약화되는. 쇠약한 붕괴. 둘. 여전히 고통받고 있는 눈으로부터 멀리 한 줄기 희망의 빛. 이 초라한 시작들의 은총에 의해. 두 번째로 보이는 건 오두막의 잔해들. 탐색할 수 없는 얼굴과 함께 탐색해볼 것. 더 이상 최소한의 호기심도 없이.

그 후 얼굴이 여전히 버티고 있는 동안 이번에는 뭔가 빠르게 무너지는 새로운 소리. 그와 동시에 전체적인 붕괴가 시작됐다는 환상이 더 확고해진다. 이 작은 풍선이 지체 없이 수축될 수 있도록 이제 앞으로 남은 짧은 시간 속으로 뛰어들기. 한참 후 창문에는 외투들이 못에는 단추 고리가 사라지는 순간까지. 그리고 비록 그것뿐일지라도 한숨이 새어 나올 것이다. 모든 걸 쓸어갈 때까지 점점 번져 나갈 한숨. 모든 소중한 난장판을. 존재하기도 전에 고작 이 정도밖에 안 되도록 예정된. 마지막 한숨. 안도의.

때가 되기 전에 빨리 여전히 미스터리 둘. 그 정도는 아니고. 뜻밖의 일들. 그것도 아니고. 이제 그 정도까지 생각이 미치지 않는다. 더 이상 그럴 수 없을 것이다. 우선 더 이상 커튼이 존재하지 않는데도 어둠이 여전히 느껴진다. 입구의 마구간 냄새를 간직할 것. 그러고는 한참의 망설임 후 추락 지점들에는 아무것도 없다. 이 불행의 모든 흔적이 없다. 더 이상 거의. 다만 한쪽에는 오로지 막대들뿐. 약간 뒤틀린. 그리고 다른 쪽에는 못만 덩그러니. 온전하게. 다시 사용될 수 있도록. 자신의 영광스러웠던 선조들처럼. 두개골이라는 곳에. 어느 4월의 오후. 추락이 이루어진다.

가까운 미래에도 내내 존재하는 얼굴 위로 쏟아지는 시선들. 더도 덜도 아니고 내내 잘 못 보이는 대로. 그보다는 덜! 자신의 거푸집에 붙은 채 그것은 의심의 여지 없이 살아간다. 그 불완전한 창백함 덕분에 그럴 뿐일지라도. 그리고 진짜 광물에 비해 거의 느껴지지 않는 떨림 덕분에. 반면 격려의 동기가 되는 건 고집스럽게 닫혀 있는 눈꺼풀들. 그런 자세로는 아마도 기록. 최소한 아직까지는 보지 못했던. 갑자기 시선. 아무것도 움직이지 않았는데도. 시선? 그건 너무 약한 말. 너무 잘못 말해진. 그것의 부재? 마찬가지. 말로 표현할 수 없는 세계. 견딜 수 없는.

마치 동공에 먹혀버리기라도 한 듯 홍채가 사라지기에는 그래도 2, 3초의 넉넉한 시간. 그리고 흰색 대신 공막(鞏膜)이라 불리는 것이 절반으로 줄어든 모습을 보이기까지. 어느새 최소한 그 정도로 줄어든 그것 하지만 그 대가는. 뜻밖의 상황을 제외하고 이제 곧 예측되는 건 영혼의 모든 변기 구멍들에게 주어진 이 변소 같은 어두운 구렁들 둘. 이때 다시 나타나는 이제는 쓸데없이 불투명한 원형 창들. 반투명한 그것들이 흘려보낸다고 여겨지는 어두운 밤 또는 차라리 그냥 어둠을 고려해보면. 결국 더 이상 아무것도 볼 게 없는 진짜 어둠.

부재가 최고로 좋기는 하지만 아직은. 이번에는 영원히 다시 떠났다가 돌아올 때 아무 흔적도 남기지 말라는 계시. 지면에. 환상의. 그리고 불행히도 아직 남아 있다면 다시 영원히 다시 떠나라는. 그렇게 계속. 더 이상 흔적이 남지 않을 때까지. 지면에. 늘 그 자리에 악착같이 붙어 있는 대신에. 이런저런 흔적 위에. 아직도 그럴 수 있어야 할까. 흔적들에 집착할 수 있을까. 환상의. 빨리 몇 차례 해보다가 갑자기 그래 어쨌든 안녕. 최소한 얼굴과는. 끈질긴 흔적 같은 그녀의.

어떻게 말해야 하는지와 거의 동시에 또는 오히려 한참 더 늦게 내려진 결정. 마지막으로 끝장을 내려면 어떻게 잘못 말해야 할까? 폐기하기보다는. 하지만 커튼이 다시 닫힐 때 낮의 마지막 흔적

같은 것이 조금씩 아주 조금씩 천천히 흩어진다. 커튼이 유령 같은
손에 의해 움직여 저절로 1밀리미터씩 아주 부드럽게 다시 닫힌다.
안녕 영원히 안녕. 그러고는 완벽한 어둠 속에서 사랑스러운
조종(弔鐘)이 아주 낮게 도착의 시작 신호를 울린다. 첫 번째
마지막 순간. 죄다 삼켜버릴 만큼 아직 남아 있기만 하다면. 매
순간 게걸스럽게. 하늘 땅 그리고 모든 나머지 것들. 더 이상 어느
곳에도 썩은 고기 한 조각 없다. 입술을 핥았으니 이제 됐다. 아니.
아직 1초만. 단 1초만. 이 빈 공간을 호흡할 시간. 행복을 알게
되는.

(1981)

I. 멤논(Memnon)은 그리스신화에서 트로이의 왕자 티토노스와 새벽의 여신 에오스(오로라) 사이에서 태어난 영웅으로, 후에 에티오피아의 왕이 되어 트로이전쟁에서 많은 공을 세우지만 아킬레우스에게 죽임을 당한다. 이집트 테베의 룩소르 유적지에 있는 멤논 거상은 멤논이 앉아 있는 모습을 표현한 좌상(左像)이다.

최악을 향하여

계속. 계속이라고 말하기. 계속이라고 말해지기. 어떻게든 계속.
도저히 안 될 때까지 계속. 말하자면 도저히 계속할 수 없을
때까지.

말하기는 곧 말해지기. 잘못 말해지기. 이제부터 말하기는 잘못
말해지기.

어떤 몸을 말하기. 아무것도 없는 곳에서. 어떤 정신도. 아무것도
없는 곳에서. 최소한 그것. 어떤 장소. 아무것도 없는 곳에서. 몸을
위해. 존재하는 그곳. 움직이는 그곳. 벗어나는 그곳. 되돌아오는
그곳. 아니. 나가는 건 없다. 돌아오는 건 없다. 그저 거기 있을 뿐.
거기 머무르기. 거기서 다시. 움직이지 않고.

모든 건 예전대로. 다른 어떤 것도 결코 없는. 시도해봤던 것도.
실패했던 것도. 상관없다. 다시 시도하기. 다시 실패하기. 더 잘
실패하기.

우선 몸. 아니. 우선 장소. 아니. 우선 둘 다. 때로는 이것. 때로는
저것. 하나가 역겨워지면 다른 걸 시도하기. 다른 게 역겨워지면
처음의 역겨움으로 돌아오기. 그렇게 계속. 어떻게든 계속. 둘 다
역겨워질 때까지. 게워내고 떠나기. 이것도 저것도 없는 곳으로.
그곳이 역겨워질 때까지. 게워내고 되돌아오기. 다시 몸. 아무것도
없는 곳에서. 다시 장소. 아무것도 없는 곳에서. 다시 시도하기.
다시 실패하기. 다시 더 잘 실패하기. 아니면 더 나쁜 게 더
나을지도. 더 나쁘게 다시 실패하기. 좀 더 나쁘게 다시. 정말로
역겨워질 때까지. 정말로 게워낼 때까지. 정말로 떠날 때까지.
정말로 이것도 저것도 없는 곳으로. 이번에는 정말로 영원히.

그것은 서 있다. 뭐? 그래. 그것이 서 있다고 말하기. 사실 서
있는 상태로 버티도록 강요된 거지. 뼈들을 말하기. 뼈가 없지만
뼈들을 말하기. 어떤 바닥을 말하기. 바닥이 없지만 바닥을
말하기. 고통을 말할 수 있기 위하여. 정신이 없는데 고통이라?

그렇다고 말해야 뼈들이 서 있는 것 외에 다른 선택이 없을 때까지 고통스러워 할 수 있을 테니까. 어떻게든 서 있는 상태로 있어야 하는. 아니면 어떻게든 나머지 것들. 고통을 느낄 어떤 것도 없는 정신의 잔해들을 말하기. 서서 버티는 것 외에는 다른 선택이 없는 그런 뼈들의 고통. 어떻게든 서 있어야 하는. 어떻게든 버텨야 하는. 고통을 느낄 어떤 것도 없는 정신의 잔해들. 여기선 뼈들의. 필요하다면 다른 예들도. 고통의. 그것의 완화. 그것의 변화.

모든 건 예전대로. 다른 어떤 것도 결코 없는. 하지만 결코 이 정도로 실패한 적은 없는. 더 나쁘게 실패한. 결코 더 나쁘게 실패하지 않도록 주의하면서.

출처를 알 수 없는 흐릿한 빛. 최소한이라도 알아야 할 것. 전혀 알지 못하는 건 안 되니까. 그건 너무 큰 기대일 것. 적어도 최소한의 최소. 더 최소화할 수 없는 최소한의 최소.

서 있는 것 외에는 다른 선택이 없는. 어떻게든 서서 버텨야 하는. 어떻게든 버텨야 하는. 그게 아니면 신음 소리를 내기. 나오기까지 너무 오래 걸리는 신음. 아니. 어떤 신음도 없다. 그저 고통만. 그저 서 있기만. 어떻게든 시도해보던 때가 있었다. 보려고 시도하기. 말하려고 시도하기. 처음엔 어떻게 누워 있었는지. 그러다 간신히 무릎을 꿇게 되었는지. 조금씩. 마침내 서 있게 될 때까지. 지금은 아니다. 지금은 어떻게든 실패할 것.

다른 것. 다른 것을 말하기. 무력해진 손 위로 숙인 머리. 정수리를 하늘로 향하고. 감긴 두 눈. 모든 것의 중심. 모든 것의 기원.

거기엔 어떤 미래도 없다. 슬프게도 있다.

그것은 서 있다. 공허하고 흐릿한 빛 속에서 그것이 도대체 어떻게 서 있는지 볼 것. 출처를 알 수 없는 흐릿한 빛 속에서. 시선을 떨구고 있는 두 눈 앞에서. 감긴 눈. 응시하는 눈. 감긴 채 응시하는 눈.

이 그림자. 예전엔 누워 있던. 지금은 서 있는. 그건 어떤 몸인가?
그렇다. 그걸 몸이라고 말하기. 어떻게든 서 있는. 공허하고
흐릿한 빛 속에서.

어떤 장소. 아무것도 없는. 보려고 애쓰던 때가 있었다. 말하려고
애쓰던. 얼마나 작은지. 얼마나 넓은지. 무한한 게 아니라면 어느
정도인지. 거기서 흐릿한 빛이 온다. 이제는 아니다. 이제는 더
잘 안다. 이제는 더 잘 모른다. 어떤 출구도 없다는 것만 안다.
어떤 출구도 없다는 것만 어떻게 아는지는 모른다. 오직 입구뿐.
그러니까 어떤 다른 곳. 아무것도 없는 다른 장소. 일단 오면
어디로도 돌아갈 수 없는. 아니. 한 곳 외에 다른 장소는 없다.
아무것도 없는 하나의 장소 외에는 없다. 일단 들어오면 절대 나갈
수 없는. 어떻게든 들어오게 되면. 그 너머가 없는. 그 뒤가 없는
거기. 어느 쪽도 없는 거기. 그 뒤도 없고 어느 쪽도 없는 거기.

그러니까 유일한 그곳에서 보기 —

보기는 곧 보이기. 잘못 보이기. 이제부터 보기는 잘못 보이기.

그러니까 유일한 그곳에서 이제 보기 —

우선 등을 지고 서 있는 그림자. 공허하고 흐릿한 빛 속에서 우선
등을 지고 서 있는 그림자를 보기. 움직이지 않고 있는.

그러니까 유일한 그곳에서 이제 다른 걸 보기. 조금씩 노인과
아이. 공허하고 흐릿한 빛 속에서 조금씩 노인과 아이. 다른 어떤
것이라도 사정은 마찬가지로 안 좋았을 것.

서로 손을 잡고 그들은 보조를 맞추어 끈질기게 걷고 있다. 잡고
있지 않은 손에는 — 아니. 잡고 있지 않은 손은 비어 있다. 둘 다

굽은 등을 보이며 보조를 맞추어 끈질기게 걷고 있다. 꼭 잡아줄
손에 닿기 위해 자기 손을 들어 올리는 아이. 꼭 잡아줄 늙은
손을 꼭 잡는다. 꼭 잡고 꼭 잡히기. 끈질기게 길을 가면서 절대
멀어지지는 않는다. 절대 쉬지 않고 천천히 끈질기게 길을 가면서
절대 멀어지지는 않는다. 등을 보이고. 둘 다 구부린 채. 꼭 잡는
꼭 잡힌 손에 의해 연결된 채. 마치 한 사람처럼 끈질기게 길을
간다. 하나의 그림자. 또 하나의 그림자.

무력해진 손 위로 숙인 머리. 감긴 채 응시하는 두 눈. 공허하고
흐릿한 빛 속에서 그림자들을 응시하는. 하나는 움직이지 않고
서 있는. 다른 하나는 노인과 아이. 움직이지 않고 끈질기게 계속
가는. 다른 어떤 것들이라도 사정은 마찬가지로 안 좋았을 것.
다른 어떤 것들 거의 다. 거의 그 정도로 안 좋은.

그들이 천천히 사라진다. 때로는 하나. 때로는 한 쌍. 때로는 둘
다. 천천히 다시 나타난다. 때로는 하나. 때로는 한 쌍. 때로는 둘
다. 천천히? 아니. 갑자기 사라진다. 갑자기 다시 나타난다. 때로는
하나. 때로는 한 쌍. 때로는 둘 다.

변한 것 없이? 변한 것 없이 갑자기 다시 나타난다? 그래.
그렇다고 말하자. 매번 변한 것 없이. 어떻게든 변한 것 없이.
매번 어떻게든 변한 것 없이. 그렇지 않을 때까지. 아니라고 말할
때까지. 갑자기 변해서 다시 나타난다. 어떻게든 변해서. 매번
어떻게든 변해서.

흐릿한 빛. 빈 공간. 그것들도 사라졌나? 다시 나타났나? 아니.
아니라고 말하자. 절대 사라지지 않았다. 절대 다시 나타나지
않았다. 그럴 때까지. 그렇다고 말할 때까지. 그들도 사라졌다.
그들도 다시 나타났다. 흐릿한 빛. 빈 공간. 때로는 하나. 때로는
다른 하나. 때로는 둘 다. 갑자기 사라졌다. 갑자기 다시 나타났다.
변한 것 없이? 변한 것 없이 갑자기 다시 나타난다? 그래.
그렇다고 말하자. 매번 변한 것 없이. 어떻게든 변한 것 없이.

그렇지 않을 때까지. 아니라고 말할 때까지. 갑자기 변해서 다시 나타난다. 어떻게든 변해서. 매번 어떻게든 변해서.

우선 갑자기 하나가 사라진다. 우선 갑자기 하나가 다시 나타난다. 변한 것 없이. 이제 변한 것 없이라고 말하자. 아직까지는 변한 것 없이. 등을 지고. 머리를 숙인. 모자 속 정수리를 하늘로 향하며. 보이는 건 오직 뒤쪽 챙이 위로 들린 검은 모자뿐. 허벅지 중간까지만 보이는 검은 코트의 뒷모습. 무릎을 꿇고 있는. 무릎을 꿇은 게 더 낫다. 어떻게든 무릎을 꿇은. 이제 무릎을 꿇고 있다고 말하자. 이제부터 무릎 꿇은. 무릎까지만 몸을 일으킬 수 있는. 등을 지고 머리를 숙인 채 보이지 않는 무릎 위로 드리운 어두운 그림자가 갑자기 사라졌다 갑자기 변한 것 없이 다시 나타난다. 움직이지 않은 채.

그다음으로는 한 쌍이 갑자기 사라진다. 그 후에 갑자기 다시 나타난다. 변한 것 없이. 이제 변한 것 없이라고 말하자. 아직까지는 변한 것 없이. 등을 지고. 머리를 숙인. 희미한 머리카락. 흐릿한 흰색 그리고 너무나 옅어서 이 희미한 빛 속에서 흐릿한 흰색처럼 보이는 머리카락. 뒤꿈치까지 오는 검고 긴 코트. 희미한 검은색. 장화의 뒤축. 때로는 둘 다 오른쪽. 때로는 둘 다 왼쪽. 마치 한 사람처럼 그들은 보조를 맞춰 간다. 어떤 땅도 없다. 마치 허공 위를 가듯 끈질기게. 희미한 손들. 흐릿한 흰색. 둘은 자유롭고 둘은 마치 하나인 듯한. 그렇게 마치 절대 멀어지지 않으며 끈질기게 길을 가는 하나의 어두운 그림자처럼 그들은 갑자기 사라졌다가 갑자기 변한 것 없이 다시 나타난다.

흐릿한 빛. 어디든 똑같은. 위쪽과 아래쪽. 변하지 않는. 이제 변하지 않는이라고 말하자. 출처는 모르는 채. 말하지 않은 채. 단지 어느 때보다 더 흐릿한 빛이라고만 말하자. 모든 것 위로. 이 빈 공간 속의 동굴이라고 말하자. 깊은 구렁. 그러니까 이 동굴 또는 깊은 구렁 속에 그 어느 때보다 가장 희미해진 빛. 출처는 모르는 채. 말하지 않은 채.

빈 공간. 변하지 않는. 이제 변하지 않는이라고 말하자. 하나가
아니라면 텅 빈. 한 쌍. 지금으로서는 하나 그리고 한 쌍이
아니라면. 지금으로서는.

빈 공간. 어떻게 말해볼까? 어떻게 실패해볼까? 시도가 없으면
실패도 없다. 다만 말해야 할 건 —

우선은 뼈들. 다시 그것들에게로 돌아가기. 먼저 언급된 이후
이전에 언급됐던 잔해들을 괴롭히는. 바닥. 고통. 뼈는 없다.
바닥은 없다. 고통은 없다. 왜 서 있는지는 알려지지 않았다. 무슨
수를 써도 알려지지 않았다. 누워 있었던 적이 있었다면. 누워
있었던 적이 있었다면 서 있는 것 외엔 다른 선택이 없다. 또는
누워 있었던 적이 결코 없었는지도. 항상 무릎을 꿇고 있었는지도.
항상 무릎을 꿇고 있는 게 더 낫다. 어떻게든 항상 무릎을
꿇고 있는 게. 이제부터는 항상 무릎을 꿇고 있다고 말하자.
지금으로서는 이제부터 항상 무릎을 꿇고 있다고. 지금으로서는.

빈 공간. 응시하는 눈이 마주하고 있는. 어디 있든 응시하는.
사방에서. 위아래로. 이 좁은 지역. 더 이상은 모르는. 더 이상은
보지 못하는. 더 이상은 말하지 못하는. 오직 그것만. 오직 아주
작은 이 빈 공간만.

빈 공간이 사라질 수 있다는 말을 취소하기 위해 다시 돌아오기.
빈 공간이 사라지는 건 있을 수 없다. 흐릿한 빛이 사라지지
않는 한. 그러면 모든 것이 사라진다. 이미 사라지지 않았던 모든
것. 흐릿한 빛이 다시 나타날 때까지. 그러면 모든 것이 다시
나타난다. 아직 사라지지 않았던 모든 것. 하나가 사라지는 건
가능하다. 한 쌍이 사라지는 건 가능하다. 흐릿한 빛이 사라지는
건 가능하다. 빈 공간이 사라지는 건 불가능하다. 흐릿한 빛이
사라지지 않는 한. 그러면 모든 것이 사라진다.

소위 모든 것의 중심이라는 머리를 어떻게든 실패하기 위해

다시 돌아오기. 모든 것의 기원. 모든 것? 거기서 나오는 모든
것 또한. 그 또한 거기가 아니라면 어디? 숙인 머리 안의 숙인
머리 그곳. 손. 눈. 다른 그림자들 중의 그림자. 똑같은 흐릿한 빛
안에서. 똑같은 좁고 빈 공간. 응시하는 눈이 마주하고 있는. 그
또한 거기가 아니라면 어디? 묻지 말자. 아니. 헛되이 물어보자.
어떻게든 그렇게.

머리. 사라질 수 있는지는 묻지 말자. 아니라고 말하자. 묻지
말고 아니라고 하자. 그것이 사라지는 건 불가능하다. 흐릿한
빛이 사라지지 않는 한. 그러면 모든 것이 사라진다. 오 사라져라
흐릿한 빛. 영원히 사라져라. 모두 영원히. 영원히 모두.

누구의 말들인가? 헛되이 물어보자. 알려지지 않았다고 말하면
헛되지 않을지도. 말해지지 않았다고. 말들 중 그를 위한 건 없다.
그? 하나. 말들 중 하나를 위한 건 없다. 하나? 그것. 말들 중
그것을 위한 건 없다. 어떻게든 그렇게.

하나에게 나쁘지 않은 뭔가가 있다. 그것은 무릎 꿇은 자를
의미 — 의미! — 한다. 이제부터 무릎 꿇은 자 대신 하나.
마찬가지로 이제부터 한 쌍 대신 둘. 한 사람처럼 끈질기게
걸어가는 한 쌍. 마찬가지로 이제부터 머리 대신 셋. 처음에
말했을 때 잘못 말해진 대로의 그 머리. 이제부터 이렇게. 시간을
벌기 위해서. 잃어버리기 위한 시간. 잃어버리기 위해 시간을
벌기. 예전에 영혼이 그랬던 것처럼. 세계가 그랬던 것처럼.

하나에게 나쁘지 않은 뭔가가 있다. 그다음엔 둘. 그리고 셋. 이런
식으로 계속. 모든 것에 나쁘지 않은 뭔가가 있다. 전혀 나쁘지
않은. 전혀 전혀 나쁘지 않은.

누구의 것이든 말들도 마찬가지. 더 나쁜 말들에게 주어진
자리들이 얼마나 많은가! 그것들은 얼마나 자주 거의 진실처럼
거의 울리기까지 하는가! 어리석은 말들이 얼마나 필요한지!

슬프게도 이른 밤이지만 힘을 내라고 말하기. 아니면 지새울 밤이
슬프게도 다시 또 온다고 어떻게든 말하기. 마지막으로 남은
지새울 밤이 온다고. 그리고 힘을 내라고.

우선 하나. 우선 하나를 더 잘 실패하는 걸 시도하기. 그렇게
나쁘지는 않은 무언가가 거기에. 있는 그대로가 실패가
아니라서가 아니다. 아무 얼굴도 없는 건 실패. 아무 손도 없는 건
실패. 아무—. 그만. 빌어먹을 실패. 최소한의 실패. 더 나쁜 것에
자리를 내주자. 그보다 더 나빠지길 기다리며. 우선은 더 나쁜 것.
미세하게 더 나쁜. 그보다 더 나빠지길 기다리며. 뭔가를 추가—.
추가? 절대. 그걸 더 아래로 구부리자. 더 아래로 구부러질 수
있도록. 가장 낮은 곳으로. 모자를 눌러써 보이지 않게 된 머리.
등의 대부분이 보이지 않는다. 더 위쪽으로 당겨진 긴 코트.
골반부터 아래쪽으로는 아무것도 없다. 오직 수그린 등만. 위도
아래도 없는 뒤쪽의 몸통. 캄캄한 어둠. 보이지 않는 무릎으로
지탱하고 있는. 공허하고 흐릿한 빛 속에서. 어떻게든 이렇게.
여전히 더 나빠지길 기다리며.

그다음엔 둘을 더 잘 실패하는 걸 시도하기. 한 쌍. 있는 그대로가
있는 그대로 실패인. 아무것도 아닌 실패—

우선 다시 셋으로 돌아가기. 아직은 더 나빠지도록 시도하기
위함이 아니다. 그저 다시 거기 있는 것. 거기 그 머릿속의
머릿속. 다시 그것이 되기. 그 머릿속의 머리. 오직 거기에만
고정되어 감긴 눈. 오직? 아니. 역시. 거기에도 역시. 숙여진
두개골. 무력해진 손. 감긴 채 응시하는 눈. 감긴 채 응시하는 눈에
고정된 감긴 눈. 다시 그 그림자가 되기. 다시 그 그림자 안에서.
다른 그림자들 중에. 더 나빠지는 그림자들. 공허하고 흐릿한 빛
안에서.

그다음은—

우선 어떻게 모든 게 갑자기 그럴 수 있는지. 이러한 응시 속에서.
더 나빠진 하나. 더 나빠지고 있는 둘. 그리고 남은 것도 곧 더
나빠진다. 더 나빠지는 걸 시도한다. 스스로. 흐릿한 빛. 빈 공간.
이러한 응시 속에서 모든 게 갑자기. 모든 것에 고정된 감긴 눈.

그다음은 둘. 이미 나쁜 것을 더 나빠지게 하기. 더 나빠지도록
시도하기. 미미하게 나쁜 상태로부터. 추가할—. 추가? 절대.
장화. 어떻게든 장화 없이. 노출된 발꿈치. 때로는 오른쪽 둘.
때로는 왼쪽 둘. 왼쪽 오른쪽 왼쪽 오른쪽 계속. 맨발로 가면서
절대 떨어지지 않는다. 어떻게든 그렇게. 아무것도 아닌 것보다는
아주 조금 더 낫거나 못하거나 그렇게.

그다음으로는 소위 모든 것의 중심이며 기원이라는 것. 이 손들!
이 머리! 거의 진실처럼 울려대는 그것! 꺼져버려. 이제부터는
정면으로. 손은 없다. 얼굴은 없다. 두개골 그리고 오직 응시뿐.
모든 것의 무대이자 구경꾼.

계속. 계속 응시하기. 계속 말하기. 계속 존재하기. 어떻게든 계속.
어떻게라도 계속. 흐릿한 빛이 사라질 때까지. 마침내 사라질
때까지. 마침내 모든 게 사라질 때까지. 결정적으로 나빠져서.
형편없이 가장 나빠져서 결정적으로.

출처를 알 수 없는 희미한 빛. 무슨 수를 써도 알 수 없는. 변하지
않는. 이제 변하지 않는다고 말하기. 사방에서. 위아래로. 이 빈
공간 안의 어떤 파이프를 말하기. 튜브. 봉인된. 그러면 이 파이프
혹은 튜브 안에도 똑같은 흐릿한 빛. 오래된 흐릿한 빛. 언제
다른 무엇이라도 있었던가? 모든 게 항상 보이는 곳. 보이는 건
아무것도 없지만. 희미하게 보이는. 보이지 않은 건 결코 없다.
보이는 건 아무것도 없지만. 희미하게 보이는. 이게 더 나빠질까?

그다음은 소위 빈 공간. 그렇게 잘못 말해진. 이 좁은 지역.
그림자들이 가득한. 그렇게 제대로 잘못 말해진. 그림자들이

들끓는 빈 공간. 어떻게 해서 그렇게 어떻게든 잘못 말해질까?

거기에 다른 것들을 추가하기. 추가? 절대. 꼭 필요해지기
전까지는. 지금으로서는 그것들 외엔 아무것도. 지금으로서는
희미하게. 다만 그것들을 줄여가기. 하지만 그것들이 스스로
줄어드는 동안 그것들과 더불어 다른 것들을. 그것들이 더
나빠지는 동안. 부득이하다면. 다른 것들을 줄이기. 더 나빠지게
하기. 흐릿한 빛이 사라질 때까지. 마침내 사라질 때까지. 최악이
되어 영원히.

계속. 어떻게든 계속. 어떻게라도 계속. 모든 게 사라졌다고
말하기. 그렇게 다시 계속. 두개골 안에서 사라진 모든 것. 모든
것? 아니. 모든 것이 사라지는 건 있을 수 없다. 흐릿한 빛이
사라질 때까지는. 그러면 둘만 사라졌다고 말하기. 두개골 안에서
사라진 하나와 둘. 빈 공간에서. 응시로부터. 두개골 안에서
두개골만 빼고는 모든 게 사라졌다. 응시. 공허하고 희미한 빛
안에서 홀로. 유일하게 보이는 것. 희미하게 보이는. 두개골
안에서 오직 두개골만 보인다. 응시하는 눈. 희미하게 보이는.
응시하는 눈에 의해. 다른 것들은 사라졌다. 오래전에 갑자기
사라졌다. 그러다 갑자기 다시 나타난다. 변한 것 없이. 이제 변한
것 없이라고 말하기. 우선 하나. 그다음엔 둘. 아니면 둘이 먼저.
그다음에 하나. 아니면 함께. 그다음엔 모든 게 다시 다 같이. 굽은
등. 끈질기게 가는 한 쌍. 두개골. 응시. 두개골 안에서 모든 게
함께 다시 나타난다. 변한 것 없이. 모든 것에 고정되어 응시하기.
공허하고 흐릿한 빛 안에서.

눈. 시간은—

우선 흐릿한 빛이 사라질 수 있다는 말을 취소하기 위해 다시
돌아가기. 어떻게든 다시 돌아가기. 흐릿한 빛은 사라질 수 없다.
흐릿한 빛은 오직 영원히 사라질 수만 있다. 그러면 흐릿한 빛이
사라질 수 있다는 건 사실이다. 오직 영원히 사라지는 것만

가능하다. 하나가 사라지는 건 영원히가 아니라도 가능하다.
둘도 마찬가지. 셋은 영원히가 아니고서는 불가능하다. 흐릿한
빛과 함께 영원히 사라진다. 빈 공간은 영원히가 아니고서는
불가능하다. 모든 것과 함께 영원히 사라진다. 흐릿한 빛은 더
나빠질 수 있다. 어떻게든 더 나빠진다. 사라지는 건 아니다.
영원히가 아니라면.

눈. 더 나빠지도록 시도할 시간. 어떻게든 더 나빠지도록
시도하기. 더 이상 감겨 있지 않다. 크게 뜨고 응시한다고 말하기.
온통 흰색과 눈동자. 희미한 흰색. 흰색? 아니. 모든 게 눈동자.
희미하고 어두운 구멍들. 흔들림 없이 뻥 뚫린. 그렇게 말해지도록
하자. 더 나빠지는 말들로. 이제부터 그렇게. 그렇게 나쁜 쪽으로
좋아지는 게 아무것도 없는 것보다는 더 낫다.

여전히 흐릿한 빛 여전히 계속. 여전히 흐릿한 빛이 있는 동안
여전히 어떻게든 계속. 어떻게라도 계속. 더 나빠지는 말들로. 더
나빠지는 응시. 무(無)가 보이도록. 무가 보이는 쪽으로. 희미하게
보이는. 이제 어떤 방법을 통해서라도 계속하는 지금 이 어디도
아닌 곳에서 모두 함께할 곳은 어디인가? 셋 모두가 함께. 이
셋이 마지막으로 최악의 모습을 보였던 그대로 모두 함께할 곳은
어디? 홀로 있는 굽은 등. 맨발로 끈질기게 가는 한 쌍. 두개골
그리고 눈꺼풀 없는 응시. 이 좁고 드넓은 곳 안에 어디? 그냥 서로
엄청나게 멀리 떨어져 있다고 말하자. 서로 엄청나게 멀리 떨어진
채 텅 비어 있는 이 좁고 텅 빈 곳 안에서. 나중에 좀 더 나쁘게
만들 것.

말들이 사라져버리면 무엇이? 그러면 그 무엇에 대한 건 아무것도
없다. 하지만 어떻게든 계속하는 방법을 통해 어떻게든 보는 것과
할 일이 있다고 말하자. 덜 보이는 것. 여전히 흐릿한 빛이 있지만
그래도―. 아니. 그렇게는 계속할 도리가 없다. 계속할 도리가
없을 때 말들이 사라졌다고 어떻게든 말하자. 흐릿한 빛이 여전히
있지만 계속할 도리가 없다고. 모든 게 보였지만 계속할 도리가

없다고. 그러면 그걸 위한 말은 무엇인가? 그 무엇에 대한 말은 아무것도 없다. 말들이 사라졌을 때 그걸 위한 말들은 아무것도 없다. 계속할 도리가 없어졌을 때 그걸 위한 말들은. 어떻게든 계속할 도리가 없다.

더 나빠지는 말들이 누구의 것인지는 알려지지 않았다. 어디서 왔는지 알려지지 않았다. 아무리 애를 써도 알려지지 않았다. 이제 아무리 형편없더라도 오직 그것들 오직 그것들뿐이라고 말할 수 있다. 공허하고 흐릿한 빛의 그림자들 그것들 모두. 그것들이 말하는 걸 제외하면 아무것도 없다. 어떻게든 말하는. 그것들을 제외하면 아무것도. 그것들이 말하는 것. 그 누구의 것이든 그 어디서 오는 것이든 말하는. 그것들이 그 어느 때보다도 더 나쁘게 말하는 걸 최악으로 실패하더라도.

정신의 잔해들이 여전히 남아 있다. 여전히 충분하게. 누구의 것이든 어디서든 어떻게든 여전히 충분하게. 정신이 없으면 말들도 없을까? 그런 말들조차도. 그러니까 여전히 충분하게. 즐길 만큼만 여전히 충분하게. 즐긴다! 오직 그것들만 있다는 걸 즐길 만큼만 여전히 충분하게. 오직!

알지 못할 정도로 여전히 충분하게. 그것들이 말하는 걸 알지 못할 정도로. 그것이 하는 말들이 무엇을 말하는지 알지 못할 정도로. 말한다고? 분출하는. 어떻게든 분출한다고 말하자. 그것이 분출하는 말들이 무엇을 말하는지. 빈 공간이라고 말해진 게 뭔지. 흐릿한 빛이라고 말해진 게. 그림자들이라고 말해진 게. 모든 것의 중심이고 기원이라고 말해진 게. 아는 게 없다는 걸 알 정도로 충분하다. 그것이 분출하는 말들이 무엇을 말하는지 알 수 없다는 걸. 말할 수 없다는 걸. 그것들이 어떻게든 말하는 모든 게 무엇인지 말할 수 없다는 걸.

그렇긴 해도 끈질기게 길을 가는 한 쌍을 더 나쁘게 말해보기 위해 다시 돌아가기. 마지막으로 형편없이 말해진 이후 앞서 언급된 정신의 잔해들을 집요하게 괴롭히고 있는. 하지만 그것들을 괴롭히지 않는 게 뭐가 있을까? 보인 것 중에서? 말해진 것 중에서? 보이고 말해진 모든 것들 중 그 무엇이 그것들을 괴롭히지 않나? 정말. 정말로! 그래도 더 나쁘게 어쩌면 그 무엇보다 더 나쁘게 노인과 아이를 말하자. 마지막 최악으로 보인 모습 그대로의 그 그림자. 왼쪽 오른쪽 왼쪽 오른쪽 절대 멀어지지 않으면서 끈질기게 길을 가는 맨발. 그러니까 그들이 말들. 더 잘 계속하고 더 잘 실패할 수 없으니 이제 그들에게로 돌아가자. 어쩌면 다른 어떤 것들보다 그걸 더 엉망으로 실패할 수 있을지도. 가장 엉망으로 실패한 모든 그림자들 중에서도 최소한의 최고로 실패한 그림자. 등이 굽은 혼자보다 덜 나쁘게. 두개골 그리고 눈꺼풀 없는 응시. 비록 그것들 또한 더 나빠질 수 있지만. 하지만 더 나빠지지 않는 게 뭐가 있을까. 정말. 정말로! 그렇지만 우선 어쩌면 다른 모든 것보다 더 나쁘게 노인과 아이를 말하자. 더 나빠지는 게 필요한 최악. 최악의 ―

계속할 도리가 없을 때를 위한 공백. 얼마 동안이나? 어떻게든 계속할 때까지 얼마나 긴 공백? 다시 어떻게든 계속. 계속할 도리가 없을 때 모든 게 사라진다. 계속할 도리가 없을 때 시간이 사라진다.

더 나쁘고 더 적은. 더 많은 것은 상상할 수 없다. 더 나은 것이 없는 한 더 나쁘고 더 적은. 더 적은 것이 가장 좋다. 아니. 무(無)가 가장 좋다. 더 나쁜 쪽으로 가장 좋다. 아니. 더 나쁜 쪽으로 가장 좋지 않다. 무는 더 나쁜 쪽으로 가장 좋지 않다. 더 적은 것이 더 나쁜 쪽으로 가장 좋다. 아니. 가장 적은 것. 가장 적은 것이 더 나쁜 쪽으로 가장 좋다. 가장 적은 것은 절대 무가 될 수 없다. 절대 무에 도달할 수 없다. 절대 무에 의해 무효가 될 수 없다. 무효가 될 수는 없는 가장 적은 것. 더 나쁜 쪽으로 가장 좋은 이것을 말하자. 줄어드는 말들로 더 나쁜 쪽으로 가장 좋은 가장 적은 것을 말하자. 최악보다 훨씬 더 나쁜 게 없다면. 더 적어질 수 없는 가장 적은 것이 더 나쁜 쪽으로 가장 좋다.

한 쌍. 손들. 꼭 잡히고 꼭 잡는 손들. 거의 진짜 같지 않은지!
처음에 말해졌던 때처럼 쇠약해진 손들 위에 머리가 있다.
쇠약해진 손들! 그것들이 거기 있으니 이제 말들. 이제 여기에 꼭
잡히고 꼭 잡은 채. 처음에 말해졌던 때처럼. 더 나쁘게 말해졌을
때는 취소되지 않는다. 꺼져버려. 꼭 잡히고 꼭 잡은 손들!

빈손들도 마찬가지. 꺼져버려. 어떤 손들도 거기엔 — . 아니. 뭔가
더 나쁘게 말하기 위해 남겨두자. 어떻게든 더 나쁘게 어떻게든
말할 수 있게. 지금으로서는 여전히 보인다고 말하자. 희미하게
보이는. 뿌옇게 하얀. 뿌옇게 하얀 두 빈손들. 공허하고 흐릿한 빛
속에서.

가장 적은 쪽으로 그렇게 계속. 흐릿한 빛이 여전히 계속되는 한.
더 흐릿해지지 않는 흐릿한 빛. 또는 더 흐릿해질 때까지 계속
흐릿해진. 가장 흐릿한 빛이 될 때까지. 가장 흐릿한 빛 안의 가장
적은 것. 최종적인 흐릿함. 최종적인 흐릿한 빛 안의 가장 적은 것.
더 나빠질 수 없는 최악.

이제 무엇을 위한 어떤 말들을? 그것들이 어찌나 아직까지도 거의
울려대는지. 정신의 어떤 부드러운 물체로부터 어떻게든 새어
나오면서. 그것으로부터 그것 안에서 새어 나온다. 정말 간신히
어리석음을 면한 일이 아니었을지도. 더 적어질 수 없는 최후의
가장 적은 것에 이를 때까지 계속 줄여가기가 얼마나 꺼려지는지.
그렇게 되면 최종적인 흐릿한 빛 안에서 가장 적은 것에 대한
말들을 모두 번복해야 할 테니까.

그렇게 노인과 아이는 거의 더 나빠지지 않았다. 꼭 잡히고 꼭
잡은 손들이 사라진 후 그들은 서로에게서 떨어진다. 왼쪽 오른쪽
맨발로 절대 멀어지지 않은 채 계속 간다. 아직은 그런 균열을 더
나쁘게 만들지 말자. 계속할 도리가 없어진 후 어떻게든 더 나쁘게
계속할 때를 위해 남겨두자.

모든 것에 고정되어 응시하는 눈들이라는 말을 취소하기 위해
다시 돌아가자. 아니 이제부터는 때로는 이것에 때로는 저것에
고정되어 응시하는. 그러니까 이제 더 나빠진 한 쌍으로부터
더 나빠지는 다음 것으로만. 두개골 그리고 응시하는 눈들로만.
둘 중에서 더 나빠질 필요가 있는 건 더 이상 숙이지 않게
된 이후 성가시게 구는 두개골. 이제는 그냥 얼굴이라고
말하자. 전두부(前頭部)가 아니라. 한쪽 관자놀이에서 다른 쪽
관자놀이까지만. 응시하는 눈들은 그것과 응시하는 눈들에만
고정되어 있다. 홀로 숙이고 있는 등 그리고 빈 공간 속 두 개의
흐릿한 형체들. 그러니 어떻게든 아무것도 없는 것보다는 이제
그림자 셋이 더 낫다.

홀로 숙이고 있는 등으로 어떻게든 다시 돌아가자. 그게
여자의 것임을 보여주는 건 아무것도 없지만 그래도 여자의 것.
부드러워지는 부드러운 물체로부터 여자의 것이라는 말들이
새어 나온다. 늙은 여자의 것이라는 말들. 홀로 숙이고 있는 등이
여자의 것임을 보여주는 건 아무것도 없지만 그래도 여자의
것이라는 말들. 그러니까 이제부터는 어떻게든 이 그림자는
여자의 것. 늙은 여자의 것.

그다음으로는 더 흐릿해지지 않는 흐릿한 빛이 어떻게 더
나빠지는지 보고 말하는 데 실패하자. 여전히 더 흐릿하게
만드는 것 외엔 어떻게 다른 도리가 없는지. 하지만 다른 도리가
없어진 후에도 어떻게든 더 흐릿한 빛으로 계속 향할 때를
위하여 그림자만. 가장 흐릿한 빛이 될 때까지. 모든 것들 중 가장
최악으로 나쁜. 어떻게든 더 흐릿해지지 않은 빛이 여전히 더
나빠지지 않는 한.

말을 번복하기 위해서가 아니라 엄청나게 떨어진 거리를 다시
말하기 위해 뒤로 돌아가 계속 드러내기. 다시 보였다고 말하자.
다시 더 나쁘지는 않게. 엄청나게 떨어진 빈 공간들. 이제까지
잘못 말해진 모든 것 중에서 가장 나쁘게 잘못 말해진. 이제까지.

더 나쁘게 잘못 말할 도리가 없게 되기 전까지는 더 나쁘게
잘못 말하자. 계속할 도리가 정말로 없게 되기 전까지는 최악의
엉망으로 잘못 말해지는.

너무나 오래전에 갈망을 잃어버린 소위 정신이라 말해진 것을
갈망하기. 그렇게 잘못 말해진. 이제까지 그렇게 잘못 말해진.
오랜 갈망 끝에 갈망하는 걸 잃어버린. 오랜 헛된 갈망. 그리고
여전히 갈망하는. 여전히 어렴풋이 갈망하는. 여전히 어렴풋이
헛되게 갈망하는. 여전히 더 어렴풋하게. 가장 어렴풋하게. 갈망이
최소화되기를 어렴풋이 헛되게 갈망하며. 더 작아질 수 없는
최소한의 갈망. 갈망의 최소한에 대해 진정되지 않고 헛된 갈망이
계속되는.

모든 게 사라지기를 바라는 갈망. 흐릿한 빛이 사라지기를. 빈
공간이 사라지기를. 헛된 갈망이 사라지기를 바라는 헛된 갈망이
사라지기를.

말해진 것은 잘못 말해진 것. 말해진 것이라고 말해질 때마다
말해진 것은 잘못 말해진 것. 이제부터는 그냥 말해진이라고만.
어떤 때는 말해진다고 다른 때는 잘못 말해진다고 더 이상
하지 않고. 이제부터는 그냥 말해진이라고만. 잘못 말해진 대신
말해진이라고. 잘못 말해지기 위해.

돌아가기가 계속된다. 어떻게든. 이제부터는 돌아가기라고만.
어떤 때는 돌아가기라고 다른 때는 다시 돌아가기라고 더 이상
하지 않고. 이제부터는 돌아가기라고만. 다시 돌아가기 대신
돌아가기. 어떻게든 계속 대신 돌아가기.

더 나쁜 걸 더 이상 상상 할 수 없다는 말을 더 잘 취소하기 위해
돌아가기. 더 어두운 게 덜 밝은 거라면 더 어두운 게 훨씬 더
나쁜 것. 그러니 더 나쁜 걸 더 이상 상상할 수 없다는 말은 더
잘 취소된다. 더 나쁜 건 더 적은 것만큼이나 더 많은 것도 될 수

있다. 뭐가 더 나쁜가? 말하는 것? 말해진 것. 똑같은 것. 똑같이
아무것도 아닌 것. 똑같이 거의 아무것도 아닌 것.

예전이란 없다. 과거 없는 현재 안에 예전이란 없다. 전혀 없지는
않다. 더 나빠지기 전의 그림자들은? 더 짙어지기 전의 흐릿한
빛은? 그게 예전이 아니라면 언제인가. 예전이 없는 건 오직 빈
공간뿐. 더 이상 아무리 상상해봐도. 그 이하를 상상해봐도. 더
이상 존재하지 않게 될 때까지는 예전이란 없는.

서서히 뒤로 돌아가 공백들을 더 나쁘게 만들려고 시도하기.
그러니까 더 이상 계속할 도리가 없을 때의 공백들. 그래서 모든
게 사라졌다는 걸 부인하기. 모든 게 사라지지는 않는다. 다만 더
이상 계속할 도리가 없을 뿐. 모든 게 사라지지는 않는데 더 이상
계속할 도리가 없다. 지금처럼 어떻게든 계속하려고 할 때 모든 게
거기 있다. 흐릿한 빛. 빈 공간. 그림자들. 오직 말들만이 사라졌다.
스며 나오는 것들도 사라졌다. 다시 스며 나오고 계속될 때까지.
어떻게든 계속 스며 나오는.

마지막으로 더 나쁘게 된 후 응시하는 눈들이 집요해진다. 전혀
정말로 전혀 잘못되지 않은 무언가가 여전히 거기에 있다. 정말로
전혀 전혀 전혀 잘못되지 않은. 말들이 없을 때보다 있을 때
어떻게든 또 다른 응시를 시도해보자. 더 이상 계속할 도리가
없을 때보다는 어떻게든 계속해야 할 때. 모든 것들이 다 비슷해
보이기는 하지만. 아니 모든 것들은 비슷하게 보이지 않는다.
다르게 보인다. 똑같은 응시에 의해 다른 응시가 다르게 보인다.
말들이 없을 때보다 있을 때. 더 이상 계속할 도리가 없을 때보다
어떻게든 계속해야 할 때. 어떻게 다르게 보이는지를 말하는 걸
어떻게 실패할 것인가?

덜. 덜 보이는. 덜 보는. 말들이 없을 때보다 있을 때 덜 보이고
덜 보는. 더 이상 계속할 도리가 없을 때보다 어떻게든 계속해야
할 때. 응시는 말들에 의해 흐릿해진다. 그림자들도 흐릿해진다.

빈 공간도 흐릿해진다. 흐릿한 빛도 흐릿해진다. 말들이 없을
때처럼 모든 것이 거기 있다. 더 이상 계속할 도리가 없을 때처럼.
단지 모든 게 흐릿해졌을 뿐. 다시 공백이 올 때까지. 다시 말들이
없어진다. 다시 더 이상 계속할 도리가 없어진다. 그러고는 모든
게 덜 흐릿해진다. 응시가 덜 흐릿해진다. 말들이 흐릿하게
만들었던 것들.

다시 돌아가서 그림자들이 사라질 수 있다는 말을 부인하기.
사라졌다가 다시 나타난다는 말. 아니. 그림자들은 사라질
수 없다. 다시 나타나는 건 더더욱 있을 수 없다. 늙은 여인의
굽은 등도. 노인과 아이도. 앞 두개골과 응시도. 흐릿해질 수는
있다. 그림자들은 흐릿해질 수 있다. 응시하는 눈들이 그것들
중 단 하나에만 고정될 때. 또는 어떻게든 말들이 다시 있을 때.
사라지는 것도 다시 나타나는 것도 있을 수 없다. 흐릿한 빛이
영원히 사라지기 전까지는. 더 이상 절대 다시 나타나지 않도록.

말들이 사라질 때를 위한 공백. 더 이상 계속할 도리가 없을 때.
그러면 모든 것은 오직 그때처럼만 보인다. 덜 흐릿해진 상태.
말들이 흐릿하게 만드는 모든 것들이 덜 흐릿해진 상태. 이렇게
보인 모든 것들은 말해지지 않는다. 그러면 새어 나오는 것도
없다. 뭔가가 계속 새어 나올 때 그 기원인 부드러운 물체의
흔적은 없다. 그 안에서 계속 새어 나온다. 오직 새어 나오는 것과
함께 보인 상태로 보이기 위해서만 새어나온다. 흐릿해진 상태.
덜 흐릿한 상태로 보이기 위해서는 새어 나오지 않는다. 더 이상
계속할 도리가 없을 때를 위해서는. 새어 나오는 게 사라졌을 때를
위해 새어 나오는 건 없다.

다시 돌아가서 마지막으로 더 나빠진 후 집요하게 괴롭히는 한
쌍을 더 나쁘게 만드는 걸 시도하기. 그 이후로 서로 떨어진.
예전엔 그토록 한 몸 같았던 둘. 이제부터는 너무나 멀리 떨어져
있다. 둘 사이에 있는 드넓은 빈 공간. 그들은 같은 걸음으로
여전히 끈질기게 길을 가되 멀어지지는 않는다. 그런 작은

미세함으로 어떻게든 버틴다. 그보다 더 나쁜 상태를 위한 말들이 있을 때까지. 그보다 더 나쁜 상태를 위한 더 나쁜 말들.

집요하게 괴롭히긴 하지만 그러지 않으면 뭘 할 것인가? 집요하게 괴롭히지 않을 때? 더 이상 극복할 도리가 없는 말들이 집요하게 괴롭히지 않을 때 그럼 뭐냐고 다시 말하기. 어떻게 해봐도 무의미한 각각의 말들. 집요함을 누그러뜨릴 수는 없다. 그림자들. 흐릿한 빛. 빈 공간. 모든 것이 여전히 희미하면서도 집요하게 괴롭히고 있다. 무의미하게 더 나빠진. 무의미하게 더더욱 나빠진. 그저 나쁘기만 했던 때 못지않게 모든 것이 여전히 희미하면서도 집요하게 괴롭히고 있다. 조금씩 먹어치우고 있다.

사라져버리고 싶은 욕망을 먹어치우고 있다. 덜한 건 좋지 않다. 더 나쁜 건 좋지 않다. 오직 한 가지만 좋다. 사라져버리는 것. 영원히 사라져버리는 것. 그때 가서 다시 먹어치울 때까지. 모든 게 다시 먹어치운다. 사라져버리고 싶은 욕망을.

빈 공간을 제외한 모든 것. 아니. 빈 공간 또한. 더 나빠질 수 없는 빈 공간. 결코 줄어들지 않는. 결코 늘어나지 않는. 처음 말해진 이후로 결코 부인된 이후로 결코 더 나쁘게 말해진 이후로 결코 사라져버리고 싶은 욕망을 떨쳐버린 적이 결코 없었다.

아이가 사라졌다고 말하기. 거의 사라져버린 것과 마찬가지라고. 빈 공간에서. 응시로부터. 그렇다면 빈 공간이 그렇게 넓지는 않은 걸까? 노인이 사라졌다고 말하기. 늙은 여자도. 거의 그런 것과 마찬가지. 이번에도 빈 공간이 그렇게 넓지는 않은 걸까? 아니. 거의일 때 최고로 비어 있는. 거의일 때 최악으로. 그럼 더 작아지는 걸까? 거의 사라져버린 것 같은 모든 그림자들. 그보다 그렇게 큰 게 아니라면 그렇게나 작은 걸까? 그럼 덜 나쁜 걸까? 이제 그만. 빌어먹을 빈 공간. 더 많아질 수도 더 작아질 수도 더 나빠질 수도 없이 언제까지나 거의 비어 있는.

한때 소위 한 몸 같은 둘이라 말해진 것으로 돌아가기. 바로 얼마 전에 마지막으로 가장 나쁘게 실패한 이후 집요하게 괴롭히고 있는. 서로 엄청나게 멀리 떨어진 이후로. 그 이후로 몸통만 빼놓고 모든 게 사라져버렸다고 어떻게든 이제 말하기. 골반부터 아래쪽으로는 아무것도 없는. 목덜미부터 위쪽으로도. 위도 아래도 없는 뒤쪽의 몸통. 다리도 없이 끈질기게 가는. 왼쪽으로 오른쪽으로 가면서 멀어지지는 않는.

응시하는 눈에 고정된 응시. 응시하는 눈에 고정된 응시 속에 흐릿하게 보이는 굽은 등의 흔적들. 검은 구멍 둘. 어두컴컴한. 두개골을 통과해 부드러운 물체에까지 들어온. 두개골을 통과해 부드러운 물체 밖으로 나온. 보이지 않는 얼굴 안에서 활짝 벌어진. 그것은 결함일까? 결함에 대한 요구일까? 어떻게든 그것들을 두개골 안에 고정해보자. 두개골 앞쪽의 어두컴컴한 구멍 둘. 또는 하나. 차라리 더 나쁜 하나를 시도해보자. 두개골 앞쪽 중앙에 있는 어두컴컴한 구멍 하나. 그 안은 모든 것의 지옥. 그 밖은 모든 것의 지옥. 그러니 최악이 아니라면 이제부터 응시라고 말하자.

응시하는 눈으로부터 벗어난 응시는 멀어지지 않은 채 끈질기게 길을 가는 노인의 뒤쪽 몸통으로 향한다. 어떻게든 무릎을 꿇은 상태라고 말하자. 다리는 사라졌지만 무릎을 꿇은 상태라고 어떻게든 말하자. 혹시라도 길을 갔을지 모르지만 더 이상은 결코. 결코라고 말하자. 결코 길을 가지 않는다고 말하자. 항상 무릎을 꿇고 있었다고. 응시하는 눈으로부터 다리가 사라져버렸지만 어떻게든 무릎을 꿇은 상태라고 말하자. 아이 쪽으로 시선을 돌려 그 또한 더 나쁘게 만들자. 드넓은 빈 공간 속에 서로 떨어진 노인과 아이는 보이지 않는 무릎을 꿇은 어두운 그림자들. 흐릿한 하나. 선명한 다른 하나. 흐릿하지만 선명한. 때로는 이쪽. 때로는 다른 쪽.

아이라는 걸 보여주는 건 아무것도 없지만 그래도 아이. 남자도 마찬가지지만 그래도 남자. 늙은 것도 마찬가지지만 그래도 늙은.
어떻게 아무것도 없는지 그저 새어 나올 뿐 아무것도 없지만
그래도. 굽은 등 하나는 어쨌든 노인의 것. 다른 것은 어쨌든
아이의 것. 어린아이의.

어떻게든 다시 그리고 모든 건 다시 응시 속으로. 한때 그랬던
것처럼 한꺼번에. 어떻게든 모든 것. 굽은 등 셋. 응시하는 눈.
모든 것이 좁은 빈 공간. 흐릿한 것 하나 없고. 모든 게 선명한.
흐릿하지만 선명한. 모든 것에 대해 활짝 벌어진 검은 구멍. 모든
걸 빨아들이는. 모든 걸 쏟아내는.

아무 근거도 없지만 그래도 여자. 늙은 것도 마찬가지지만 그래도
늙은. 보이지 않는 무릎을 꿇고 있는. 다정한 기억을 간직한
오래된 묘비가 웅크리고 있는 것처럼 웅크리고 있는. 이 오래된
묘지 안에서. 이름도 언제부터 언제까지인지도 지워져버린.
누구의 것도 아닌 묘지들 위에서 소리 없이 웅크리고 있는.

모두 똑같은 웅크림. 모두 똑같이 드넓은 공간으로 분리된. 그런
마지막 상태. 가장 최근의 상태. 어떻게든 헛되이 더 작아지기
전까지. 헛되이 더 나빠질 때까지. 무(無)가 되고자 하는 모든
욕망을 먹어치우며. 절대 불가능한 무.

두개골이 사라진다면 무엇이? 사라진 것과 마찬가지라면.
그렇다면 검은 구멍은 어느 것 안으로? 그렇다면 어느 것 밖으로?
어느 것이라니 왜? 그렇게 더 나쁜 게 더 낫지 않을까? 아니.
어떻게든 두개골이 더 낫다. 두개골로부터 남겨진 것이. 부드러운
물체로부터. 그 모든 것 중에 왜 그것인지가 더 나쁘다. 그러니
두개골은 사라지지 않는다. 두개골로부터 남겨진 것은 사라지지
않는다. 구멍이 다시 그 안으로 들어갈 수 있도록. 부드러운
물체로부터 남겨진 것에 닿을 수 있도록. 미미하게 남겨진 것
밖으로 나올 수 있도록.

이제 그만. 갑자기 그만. 갑자기 아득해진다. 아무 움직임도 없고 갑자기 아득해진다. 모든 게 더 적어진다. 세 개의 핀. 하나의 핀 구멍. 흐릿할 대로 흐릿한 빛 속에서. 드넓은 거리를 두고 떨어진. 경계 없는 빈 공간의 경계에서. 거기서부터 더 멀어지지는 않는. 어떻게든 더 멀어지지는 않는. 더 적어질 도리가 없는. 더 나빠질 도리가 없는. 무(無)가 될 도리가 없는. 계속할 도리가 없는.

계속할 도리가 없다고 말해져버린.

(1983)

떨림

바니 로셋(Barney Rosset)에게

어느 날 밤 그는 머리를 양손으로 감싸고 자신의 탁자 앞에 앉아
자신이 일어나서 떠나는 모습을 본다. 어느 밤 또는 어느 낮.
자신의 불이 꺼져버렸어도 그가 어둠 속에 머물러 있었던 건
아니었기에. 빛이라 할 수 있는 것은 그러니까 하나뿐인 높은
창문에서 오고 있었다. 그 빛 아래 그가 더 이상 할 수 없을 때까지
또는 더 이상 원치 않을 때까지 하늘을 보러 밟고 올라가던 발돋움
의자가 여전히 있다. 그가 아래쪽이 어떤지 보려고 밖으로 몸을
숙이지 않았던 건 아마도 창문이 열리지 않게 만들어졌거나
아니면 그가 열 수 없거나 열려고 하지 않았기 때문이었을 것이다.
어쩌면 그가 아래쪽이 어떤지 너무나 잘 알고 있어서 더 이상 보고
싶지 않았기 때문일 것이다. 그래서 그는 멀리 보이는 땅 위의
그곳에 버티고 서서 뿌연 유리 너머로 구름 하나 없는 하늘을
그저 바라보곤 했다. 늘 같은 시간에 밤이 와서 낮과 교대하고 또
낮도 그렇게 밤과 교대하던 그런 오래된 낮과 밤들에 대해 그가
기억하는 다른 어떤 빛들과도 다른 그 희미한 불변의 빛. 그러니까
그의 불이 꺼진 이후 유일한 그 빛은 밖에서부터 왔다가 그를 어둠
속에 남겨두고 꺼진다. 자신 또한 소멸될 때까지.

그러니까 어느 밤 또는 어느 낮 그는 머리를 양손으로 감싸고
자신의 탁자 앞에 앉아 자신이 일어나서 떠나는 모습을 본다. 우선
일어나 탁자에 붙은 채 선다. 그다음 다시 앉는다. 그러고는 다시
탁자에 붙은 채 다시 일어난다. 그리고 떠난다. 떠나기 시작한다.
보이지 않는 발들이 떠나기 시작한다. 너무나 느린 걸음이라
공간의 변화만이 그가 떠났음을 보여줄 뿐이다. 마치 그가
사라지고 잠시 후 또 다른 장소에 다시 나타나는 것처럼. 그런 후
다시 사라지면 잠시 후 다시 새로운 장소에 다시 나타나곤 했다.
이런 식으로 매번 다시 사라졌다가 잠시 후 다시 새로운 장소에
다시 나타나면서 계속되곤 했다. 그가 머리를 양손으로 감싸고
자신의 탁자 앞에 앉아 있던 그곳 내부의 새로운 장소. 이를테면
달리[1]가 죽어서 그를 떠났을 때와 같은 장소 같은 탁자. 그 이전과
이후에 또 다른 사람들이 차례로 그랬던 때와 같은. 그러다 마침내

자신의 차례가 되어 그랬던 때와 같은. 그가 다시 사라지기를 더 이상 다시 나타나지 않기를 매번 반쯤 바라고 반쯤 두려워하며 머리를 양손으로 감싸고 있다. 어쩌면 그저 자문하며. 어쩌면 그저 기다리며. 그런지 아닌지 보게 되기를 기다리며. 다시 혼자가 되어 다시 아무것도 기다리지 않는 건지 그렇지 않은지.

그가 어디로 가든 항상 뒷모습만 보인다. 예전에 방황하던 때와 같은 모자 같은 외투. 시골길로. 이제는 낯선 곳에서 출구를 찾는 누군가처럼. 어둠 속에서. 어느 낯선 곳의 밤 또는 낮의 어둠 속에서 더듬거리며 출구를 찾는. 어떤 출구. 예전의 방황을 향하여. 시골길로.

멀리서 괘종시계가 정시 그리고 30분마다 울리곤 했다. 다른 사람들 중에서도 달리가 죽어서 그를 떠났을 때와 같은 시계. 때로는 바람에 실려 온 듯 또렷하기도 하고 때로는 평온한 날씨 가운데 희미하게 들리는 종소리들. 멀리서 때로는 또렷하게 때로는 희미하게 들리는 외침들. 정시에 울릴 때면 더 이상 다시는 30분에 울리지 않기를 반쯤 바라고 반쯤 두려워하며 머리를 양손으로 감싸고 있었다. 30분에 울릴 때도 마찬가지. 외침들이 잠시 멎었을 때도 마찬가지. 어쩌면 그저 자문하며. 어쩌면 그저 기다리며. 들리기를 기다리며.

그가 양손을 보기에 충분할 정도로 가끔씩 머리를 들 때가 있었다. 양손에서 뭔가 볼 거라도 있는지. 한쪽 손을 탁자에 눕혀놓고 그 위에 다른 손을 눕혀놓는다. 모든 일을 다 한 후의 휴식. 죽어버린 손들을 보려고 죽어버린 머리를 들어 올리곤 했다. 그런 다음 양손에 기대 머리도 휴식을 취한다. 모든 일을 다 한 후의 휴식.

그가 매일 방황하러 떠나는 출발지와 같은 장소. 시골길. 아직 머물러 있는 밤의 그림자 속에서 서성대다 매일 밤 그가 돌아오던 곳. 일어나서 떠나는 모습을 보였던 자와 지금은 마치 다른 사람처럼 보인다. 사라졌다가 새로운 장소에서 다시 나타나는.

다시 사라졌다가 또 새로운 장소에서 다시 나타나는. 또는 같은 장소에서. 같은 장소가 아니라는 어떤 단서도 없다. 표식이 될 수 있는 어떤 벽도 없다. 표식이 될 수 있는 어떤 탁자도 없다. 모든 곳을 마치 한곳처럼 서성대던 때와 같은 장소에서. 또는 다른 장소에서. 다른 장소가 아니라는 어떤 단서도 없다. 절대 다른 곳. 항상 같은 장소에서 일어나서 떠나기. 사라졌다가 절대 다른 곳에서 다시 나타나기. 절대 다른 곳이 아니라는 어떤 단서도 없다. 오직 종소리들뿐. 외침들. 항상 똑같은.

그가 마지막으로 나타난 다음 어쩌면 다시는 나타나지 않을지도 모른다는 걸 알리는 수많은 종소리들과 외침들. 그런 후 마지막 종소리들이 끝난 다음 어쩌면 더 이상 들리지 않을지도 모른다는 걸 알리는 수많은 외침들. 그러고는 마지막 외침들 후에 그것들조차 어쩌면 더 이상 들리지 않을지도 모른다는 걸 알리는 그런 침묵. 어쩌면 끝일지도 모르는. 아니면 그저 잠시의 소강상태일지도 모르는. 그런 다음 모든 게 전과 같아지는. 종소리와 외침들도 전과 같고 그 또한 전처럼 때로는 거기 있다가 때로는 떠나고 때로는 다시 거기 있다가 때로는 다시 떠나는. 그런 다음 다시 소강상태. 그런 다음 모든 게 다시 전과 같아지는. 이런 식으로 계속되고 또 계속되는. 그렇게 시간과 슬픔과 자기 자신과 또 다른 자기 자신의 유일하고 진정한 끝을 기다리며 참아내기.

2

온전한 정신으로 마침내 다시 밖으로 나가는 사람처럼 그는 자신의 정신이 온전한지 자문해보기 직전에야 어떻게 해서 이런 상황에 처하게 된 건지 알게 된다. 왜냐하면 정신이 온전치 못한 사람이 과연 자신의 정신이 온전한지 자문할 것이며 게다가 뒤죽박죽이 될 수도 있는데 그나마 남겨진 이성으로 이 골치 아픈 문제에 매달릴 거라고 이성적으로 확신할 수 있을까? 따라서 그는 어느 정도 이성적인 존재의 형태로 자신이 어떻게 외부 세계에 있게 되었는지 모르는 채 모습을 드러냈던 것이며 자신의 정신이 온전한지 자문하기 시작하기 전까지 거기서 꼬박 예닐곱 시간 이상 있었던 건 아니었다. 그가 칩거하던 때 지칠 줄 모르고 정시 그리고 30분마다 울려대며 처음에는 어떤 의미에서 그를 안심시켜주는 성격을 지니다가 결국 지금은 원칙적으로 그의 네 벽에 의해 소리가 약해질 때보다도 더 또렷하지 않음으로 인해 근심의 기원이 되어버린 늘 같은 시계. 그러면 그는 저녁이 되었을 때 금성을 더 잘 볼 수 있는 위치를 잡으려고 해 지는 서쪽으로 서둘러 가는 누군가를 생각하며 위안을 찾았고 어떤 것도 발견하지 못했다. 그가 고통에 빠져 머리를 양손으로 감싸고 탁자에서 버텨내는 동안의 외침과는 다른 자신의 고독에 생기를 불어넣어줄 단 하나의 다른 소리에 대해서도 마찬가지였다. 종소리와 외침이 어디서 오는지에 대해서도 밖에서든 안에서든 모두 밝혀낼 수 없다는 점에서 마찬가지였다. 자신에게 남은 모든 이성으로 이 모든 것들에 악착같이 매달리는 그는 내면의 기억이 어쩌면 만족스럽지 못할지도 모른다는 생각을 하며 위안을 찾았고 거기서 어떤 것도 발견하지 못했다. 그가 맨발로 바닥을 걸어 다닐 때와 같은 조용한 발소리가 그의 혼란에 더해진다. 이렇게 모든 청력이 점점 더 나빠져서 결국 그냥 들리는 거면 모를까 귀를 기울이는 걸 멈추게 되고 자기 주위를 둘러보기 시작한다. 그러다가 마침내 그는 어떤 풀밭에 있게 되었는데 이는 마치 나중에 그의 혼란을 충분히 더 부풀리기 위함인 듯 그 전까지는 그의 조용한 걸음걸이를 설명이나마 할 수 있었다. 왜냐하면 그에게는 그 중심에서조차 어떠한 경계도 보이지 않는 그런 풀밭에 대한 기억이 전혀 없기 때문이며 오직 넘어가서는 안 되는 울타리나 다른 형태의 경계 표시와 같은 어떤 끝이 항상 어딘가에 보이는 그런 풀밭에 대한 기억만 있었다. 더 가까이서 바라보면 상황은 더욱 나빠지는데 그가 기억한다고 생각했던 그러니까 이런저런 초식동물들에 의해 뜯긴 초록색 풀이 아니라 길고 회색빛 그러니까 군데군데 흰색인 풀이었던 것이다. 그러면 그는 바깥에 대한 자신의 기억이 어쩌면 만족스럽지 못할지도 모른다는 생각을 하며 위안을 찾았고 거기서 어떤 것도 발견하지 못했다. 이렇게 두 눈이 모두 점점 더 나빠져 결국 그냥 보이는 거면 모를까 (자기 주위나 더 가까운 곳을) 둘러보는 걸 멈추게

되고 곰곰이 생각해보기 시작하게 된다. 발터²처럼 앉아서 다리를
꼴 수 있는 바위 하나 없는 이러한 마지막 상태에서 그가 할 수
있었던 최선은 그 자리에 그냥 죽은 듯이 서 있는 것뿐이었는데
짧은 망설임 끝에 그는 그렇게 했고 물론 생각에 깊이 잠긴 사람의
모습처럼 고개를 숙이는 것 또한 또 다른 짧은 망설임 끝에 그렇게
했다. 하지만 이런 폐허 속을 헛되이 뒤지는 일에 금방 지친
그는 자신이 어디 있는지 어떻게 왔는지 어디로 가는지 어떻게
떠났는지도 모르는 그곳으로 어떻게 되돌아갈지 모른다는 걸
체념하듯 받아들인 채 희끄무레한 풀밭을 가로질러 다시 걷기
시작했다. 이렇게 모든 걸 모르는 채 계속되었고 어떠한 끝도
보이지 않았다. 모든 걸 모르는 것에 덧붙여 알고자 하는 어떤
욕망도 정말 어떤 종류의 욕망도 없는 채였고 결과적으로는
종소리와 외침들이 완전히 끝나버리길 바랐어야 했다는 것 외엔
어떤 유감도 없었고 그렇게 되지 않은 것이 유감일 뿐이었다. 어떤
때는 희미하게 또 어떤 때는 바람 한 점 없는데도 바람에 실려 온
듯 분명하게 들리는 종소리들 그리고 어떤 때는 분명하고 또 어떤
때는 희미한 외침들.

3

그렇게 계속 가다가 그의 귀 오 정말로 깊은 그곳에서부터 그
전까지는 결코 와본 적 없는 거기서 끝내라는 알 수 없는 말 한
마디가 들려오면 다시 멈추곤 했다. 그런 다음 갑자기 길고 긴
침묵 어쩌면 너무 길어서 더 이상 아무것도 없을 것 같은 침묵
그러고는 다시 오 정말로 깊은 그곳에서부터 들리는 희미한
중얼거림 같은 그 전까지는 결코 와본 적 없는 거기서 끝내라는
그 알 수 없는 말. 결국 이렇게 끝내고 또 계속되는 게 어떤
식이든지 간에 그가 움직이지 않고 허리를 푹 숙인 채 멈추곤 했던
바로 그곳에 그는 이미 있었던 게 아닐까 그리고 그의 귀 가장
깊은 곳에서부터 오 그게 무엇이든 희미하게 끝없이 중얼거림이
들려오고 또 계속되는 가운데 그의 눈을 믿는다면 그는 그
전까지는 결코 와본 적 없는 거기에 이미 있었던 게 아닐까?
왜냐하면 이런 장소에 한번 있었던 적 있는 그 같은 사람일지라도

예전엔 그러지 못했었지만 거기서 자신과 다시 만나며 어떻게 몸을 떨지 않을 수 있을 것이며 몸을 뗀 다음엔 실제로는 그러지 못했지만 거기서 벗어날 방법을 예전에 찾았으니 다시 찾을 수 있다고 애써 생각하며 어찌 위안을 구하려 하지 않을 것인가. 그러니 그 전까지는 언제나 그곳 그리고 그는 거기로부터 혹시라도 벗어날 수 있는 어떤 위험 또는 희망도 없는 어떤 곳을 눈으로 찾았다. 그래서 그는 마치 아무 일도 없었던 것처럼 때로는 이쪽 때로는 다른 쪽을 향해 앞으로 나아가든지 아니면 반대로 경우에 따라 더 이상 동요하지 않아야만 했는데 다시 말해서 이 알수 없는 말이 슬프거나 나쁜 의미를 지닐 경우 당연히 어떻게든 한쪽을 택하고 반대의 경우 당연히 다른 쪽 즉 더 이상 동요하지 않는 쪽을 택해야만 했다. 그의 소위 정신에서는 일종의 소음 같은 것이 요란하다가 가장 깊은 곳에서부터 점점 희미해지고 점점 멀어져서 더 이상 아무것도 남지 않게 되고 오 끝나버린다. 어떻게든지 어디서든지. 시간과 고통 그리고 소위 자기 자신. 오 모두 끝나버리길.

(1988)

1. 베케트가 제2차 세계대전 중
생로(St.-Lo) 적십자 병원에서
자원봉사자로 일할 때 친분을 맺었던
아르튀르 달리(Arthur Darly) 박사를
지칭하는 듯하다. 베케트는 달리가
사망했을 때 'A.D.의 죽음(Mort de A.
D.)'이라는 시를 발표하기도 했다.

2. 중세 독일의 서정시인 발터 폰
데어 포겔바이데(Walther von der
Vogelweide, 1170-230)를 지칭하는
듯하다. 특히 그의 시 「나는 바위
위에 앉았노라」는 다음과 같은
구절로 시작된다. "나는 바위 위에
앉았노라/한쪽 다리를 다른쪽 위에
올리고/두 다리 위에 팔꿈치를 대고."

해설

계속해야 하는, 계속할 도리가 없는

— 베케트 후기 문학의 쟁점

I. 글쓰기의 과정, 과정의 글쓰기

사뮈엘 베케트의 소설 및 산문 작품들은, 그가 제기한 글쓰기의
유형과 문제의식으로 볼 때 크게 세 시기로 나누어볼 수 있다.
다소 단순하게 유형화하자면, 집필 시기 기준으로 첫 번째는
『머피』(1935-6)와 『와트』(1944)로 대표되는 외적 탐색의 시기,
두 번째는 1인칭 글쓰기와 더불어 시작된, 이른바 소설 3부작인
『몰로이』(1947) 『말론 죽다』(1947) 『이름 붙일 수 없는 자』(1949-
50) 그리고 『아무것도 아닌 텍스트들』(1950-1)이 보여주는 내적
탐색의 시기, 세 번째는 『어떻게 되는지』(1959-60) 이후의, 서술
행위 자체가 탐색의 주체이자 대상이 되는 비소설적인 산문의
시기라고 할 수 있다.

외적 탐색의 시기에, 베케트는 상대적으로 '등장인물'의 틀을
갖춘 주인공들과 그들의 '이야기'를 통해 외부 세계와 타자들의
의미에 대한 질문을 던지며 거기에 이름을 붙이고자 한다. 그러나
인물들의 부단한 여정은 '나'와 세상 사이의, 그리고 '말'과 '사물'
사이의 단절을 확인할 뿐이고, 결국 그들의 탐색은 무의미한
것으로 드러나게 된다.

이후 베케트의 글쓰기는 밖에서부터 철저히 내면을 향한다.
즉, '말하는 나'의 정체성에 대한 질문이 전면에 부각된다. 모두
1인칭으로 서술되는 1950년대에 출간된 소설 3부작, 특히
『이름 붙일 수 없는 자』는 이러한 서술 행위의 주체에 대한
탐색이 작품의 시작과 끝을 이룬다. 이때 "나"는 서술 행위의
화자이기도 하고 서술되는 등장인물이기도 하며, 출처를 알 수
없는 목소리이거나 심지어 글을 쓰는 작가까지 연루된, 이질성과
복수성을 지닌다. 이러한 주체의 분열로 인해 허구와 현실의
경계가 허물어지고, 이제 이야기의 내용이 아닌 서술 행위의
과정이 부각된다. 또한 주체의 분신들 중 어떤 것도 진실을 담보할

수 없게 됨에 따라, 글쓰기는 자기부정과 자기 성찰을 통해 의미를 질문하는 장이 된다. 그리하여 『이름 붙일 수 없는 자』의 서술자는 "난 말을 하는 것처럼 보이지만 그건 내가 아니다. (…) 그건 나에 대한 것이 아니다."라고 고백하며 "지금 누가 누구에게 누구에 대해 말하고 있는가?"라는 가장 기본적인 질문에 대해 집요하게 답을 찾는다. 그의 결론은 이러하다. "누군가 말하고, 누군가 듣고, 더 나갈 필요 없다, 그건 그가 아니다, 그건 나, 또는 다른 자, 또는 다른 자들, 그래서 어떻단 말인가."[2] 글쓰기의 주체가 처한 이러한 곤경 속에서, 1인칭의 사용은 무의미하고 불가능하게 된다. 서술자 또한 이를 직시하고 있으며 1인칭 대신 3인칭을 사용해 "나"를 타자화하는 대안까지 제시하지만, 이렇듯 부재하지만 부정할 수는 없는 "나"를 어떻게든 표현해야 하는 의무에서 벗어날 수는 없다.

> 난 더 이상 나라고 말하지 않을 것이다, 절대로 더 이상
> 그렇게 말하지 않을 것이다, 그건 너무 어리석은 일. 난 그
> 자리에, 내가 매번 그걸 들을 때마다, 생각이 미치면, 3인칭을
> 놓을 것이다. 그게 그들을 재밌게 해준다면. 그건 아무것도
> 바꾸지 못한다. 오직 내가 있을 뿐, 내가 존재하는 그곳에
> 존재하지 않는 내가.[3]

결국 『이름 붙일 수 없는 자』의 서술 행위는, 1인칭과의 단절을 예고하면서도 "말들이 있는 한, 그것들이 나를 발견할 때까지, 그것들이 나를 말할 때까지" 글쓰기를 계속해야 하고, 그럴 수 없지만, 계속할 것임을 밝히며 마무리된다. 말들은 "어쩌면 내 이야기의 문턱까지, 내 이야기를 향해 열리는 문 앞까지 나를 데려갔기" 때문이고, 그 문이 열린다면 "그건 어쩌면 나일 것"이기 때문이다.[4] 이처럼 베케트의 1인칭 소설들은, "나를 나에게 나라고 말하기"라는, 서술 행위의 가장 기본적인, 그러나 그 불가능성으로 인해 끝없는 심연으로 빠져드는 지난한 여정을 보여준다. 알랭 바디우(Alain Badiou)가 "코기토의 고문(la torture du cogito)"[5] 또는 "방법론적이고 문학적인 고행(une ascèse littéraire méthodique)"[6]이라고 이름 붙인 이러한 글쓰기의 과정 속에서,

베케트는 주체의 모든 가능성들과 기존의 소설 형식을 소진한 후 새로운 지향점을 모색한다.

소설 3부작 이후부터 시작된다고 할 수 있는 베케트 글쓰기의 이러한 변모는,『어떻게 되는지』와 1960년대의 짧은 산문들이 보여주듯 이야기가 아닌 서술 행위를, 등장인물이 아닌 이미지와 형상들을, 주체의 확인이 아닌 잠재적이고 우발적인 운동 속에 드러나는 흔적들을 담아내고 있는 것으로 보인다. 이름은 물론 이제 존재 자체도 불확실해진 서술자는, 최소한의 공간 안에 스스로를 가둔 채 누군가를, 무언가를 상상하고 말하다가, 부정하고, 다시 시도한다. 그리고 그 과정 자체가, 오직 그것만이, 글쓰기의 전부가 된다. 이처럼 짧은 호흡으로 파편화되던 베케트의 텍스트들은 1970년대 말부터 어떤 중심을 향해 모이게 되고, 1979년에 영어로 완성된『동반자』를 시작으로 작가는 마치 글쓰기의 새로운 동력을 얻은 듯 말년의 문제작들을 놀라운 속도로 연달아 발표하게 된다.『동반자』와『잘 못 보이고 잘 못 말해진』그리고『최악을 향하여』는, 베케트의 소설 또는 산문이 초기부터 제기해온 문제들이 궁극적으로 다다르게 된 지점들과 그 본질을 담고 있는 텍스트들이다. 이 세 작품은 베케트 문학이라는 하나의 커다란 세계를 공유하면서, 각자 고유한 방식으로 글쓰기라는 행위가 지닌 가장 근본적인 쟁점들을 부각시키고 있다. 작가 베케트의 여정은 이제 거의 마지막을 향해 가지만, 최악의 상황 속에서도 점점 더 정제되는 그의 글은 언제나 끝나기를 주저한다. 계속할 도리가 없더라도.

2. 후기 3부작, '잘 못 이름 붙여진?'

1957년 영국의 출판인 존 칼더(John Calder)가 베케트의 세 소설(『몰로이』『말론 죽다』『이름 붙일 수 없는 자』)을 '3부작'이라는 타이틀로 출판하기 위해 작가의 허락을 구하려 했을 때, 베케트는 이렇게 대답했다. "간청하건대, 3부작이 아니라, 그냥 다른 언급 없이 세 제목만."[7] 자신이 이 세 소설들을 애초에 3부작으로 기획하고 쓰지 않았음을 감안해볼 때, 그는 그것들이 하나의 세계로 묶이는 데 적잖이 부담을 느꼈던 것으로 보인다.

이러한 작가의 바람에 대해 프랑스와 영미권의 출판은 서로 다른 양상을 보이는데, 프랑스에서는 세 작품을 각각 출판하는 원칙을 고수하는 반면 영미권에서는 '세 편의 소설(Three Novels)' 또는 '3부작(Trilogy)'이라는 이름 아래 한 권으로 묶어 자주 출판하고 있다. 베케트 소설 문학의 정수를 보여주는 이 작품들은 시간이 지나면서 결국 자연스럽게 "초기 3부작"으로 불리게 되었으며, 작가 또한 이들을 "소위 3부작"이라고 부르며 어느 정도 인정하는 모습을 보인다. 많은 비평가들이 언급하듯, 『몰로이』와 『말론 죽다』 그리고 『이름 붙일 수 없는 자』는 베케트 문학의 극적인 전환점과 그것이 전개되는 과정을 보여준다. 이 세 작품들을 관통하고 있는 글쓰기는, 베케트 소설에서 1인칭의 서술 행위 즉 내면의 탐색이 본격적이고 전면적으로 시작되었다는 것이다. 또한 글쓰기의 주체가 이름을 지닌 인물에서(『몰로이』) 그것의 죽음을 거쳐(『말론 죽다』) 결국 이름과 정체성을 잃어버리게 되는(『이름 붙일 수 없는 자』) 과정을 단계적으로 보여준다. 이 세 작품들의 연관성은 이야기의 차원에서도 찾아볼 수 있는데, 몰로이와 모랑의 이야기가 『말론 죽다』에서 다시 언급되고, 『이름 붙일 수 없는 자』는 전작의 몰로이/모랑/말론은 물론 베케트 소설에 등장했던 거의 모든 인물들을 소환한다. 그리고 무엇보다 의미 있는 변화는, 베케트가 이 시기부터 본격적으로 프랑스어로 글을 쓰기 시작했다는 것이다. 이는 모국어와의, 즉 모든 상투적 표현과 익숙함과의 단절을 의미하며, 낯설고 다른 글쓰기에 대한 시도로 볼 수 있다. 이처럼 1950년대에 출간된 세 소설은 작가의 의도와는 별개로 '3부작'으로 간주될 수 있는 공통적인 요소들을 지니고 있다. 그리고 약 30년이 지난 후 베케트는 다시 이전과는 다른 세 편의 산문을 연달아 발표하고, 관련된 출판사들과 비평가들의 고민 또한 다시 시작된다. 이들을 베케트의 "후기 3부작"이라 부를 수 있을까? 만약 그렇다면, 이번에는 어떤 글쓰기에 대한 것인가? 이 세 작품을 관통하는 새로운 주제 의식과 문학적 쟁점은 무엇인가?

　1979년부터 차례로 발표된 『동반자』와 『잘 못 보이고 잘 못 말해진』 그리고 『최악을 향하여』는 베케트의 글쓰기가 도달하게 된, 또는 계속 지향하게 될 지점들을 서로 다른 방식으로 보여주는 작품들이다. 베케트는 이전 '3부작' 때와 마찬가지로, 아니 그보다 더 완강하게 이 세 작품을 하나의 세계로 묶는 것을 거부해왔다. 그러나 이번에도 영국의 칼더 출판사는 뜻을 굽히지 않았고, '3부작'에서 한걸음 더 나아가 '계속할 도리가 없는(Nohow On)'이라는 제목 아래 세 작품을 모아서 출간하게 된다. 물론 '계속할 도리가 없는'이라는 제목은 『최악을 향하여』의 처음과 마지막을 장식하는, 베케트 글쓰기의 가장 핵심적인 딜레마를 담고 있는 진술에서 따온 것이지만, 작가의 입장을 충분히 존중하지 않은, 출판사의 다분히 자의적인 선택이라는 비난을 받아왔던 것도 사실이다. 베케트가 과연 이 세 작품에 대한 이러한 기획과 제목에 동의했는지 여부에 대해서는 논란의 여지가 있다. 『계속할 도리가 없는』이 1989년 12월 베케트가 세상을 떠난 이후 작가의 허락 없이 출간되었다는 일부의 지적과는 달리, 1989년 6월에 뉴욕의 '리미티드 에디션 클럽'이 베케트의 친필 서명과 미국 화가 로버트 라이먼(Robert Ryman)의 동판화가 포함된 500여 권 한정판으로 『계속할 도리가 없는』을 출판했기 때문이다. 상황이 이러하다면, 베케트는 '계속할 도리가 없는'이라는 제목을 생전에 동의 또는 최소한 묵인했다고 볼 수 있으며, 여기에 포함된 세 작품은 자연스럽게 작가의 '두 번째' 또는 '후기' 3부작으로 간주될 수 있다.

그러나 베케트 작품의 프랑스어 출판을 전담하는 미뉘 출판사는 이전과 마찬가지로 세 작품을 독자적으로 출판하는 원칙을 고수했으며, 따라서 '계속할 도리가 없는'이라는 제목은 프랑스에서 한 번도 사용된 적이 없다. 무엇보다, 베케트는 "Nohow on"의 출처가 되는 『최악을 향하여(Worstward Ho)』라는 작품 자체를 프랑스어로 번역하지 않았다. 제목에 대한 이러한 논란과 더불어, 일련의 프랑스 비평가들은 이 세 작품이 과연 '후기 3부작'을 구성하고 있는지 문제를 제기한다. 그들에 따르면, 1950년대에 출간된 '3부작'이 공통된 주제 의식과 글쓰기 아래 하나의 문학적 세계를 형성했던 것과 달리 후기 세 작품은 각자 고유한 표현 양식을 보여주고 있기 때문이다.

우선 창작 언어의 측면에서 '후기 3부작'은 이전과 다른 양상을 보인다. 앞서 언급했듯『몰로이』와『말론 죽다』『이름 붙일 수 없는 자』가 모두 프랑스어로 먼저 쓰였고 이것이 베케트 문학의 결정적인 전환점이 되었던 반면, 후기 세 작품에서는 영어/프랑스어에 대한 작가의 의도를 찾아보기 어렵다. 『동반자』의 경우 영어로 집필되어 1979년에『Company』가 먼저 발표된 후 작가의 번역을 통해 1980년에『Compagnie』가 발표되었고,『잘 못 보이고 잘 못 말해진』의 집필과 출판 순서는 프랑스어판『Mal vu mal dit』(1981년 3월)가 영어판『Ill Seen Ill Said』(1981년 10월)보다 앞서며, 무엇보다『최악을 향하여』의 영어판『Worstward Ho』는 1983년에 발표되었지만 프랑스어판인 『Cap au pire』는 베케트 사후인 1991년에, 그것도 저자가 아닌 에디트 푸르니에(Edith Fournier)의 번역으로 출간되었기 때문이다. 이는 베케트의 글쓰기에서 영어/프랑스어의 선택이 더 이상 핵심적인 쟁점이 아님을 보여준다. 또한 이전 '3부작'이 모두 1인칭 서술 행위라는 공통점을 지녔던 것과는 달리, 후기 세 작품은 서술 행위의 주체와 대상, 그리고 그것들이 인식되고 이야기되는 방식에 있어서 서로 다른 면모를 보여준다. 거의 모든 인칭대명사들(나/너/그/그녀/우리/그것)을 차례로 소환하며 주체의 정체성을 탐색하는『동반자』, 제목이 암시하듯 불확실하고 불충분한 '보기'와 '말하기'를 통해 1인칭이 아닌 '그녀'를 포착하려는 과정이 전개되는『잘 못 보이고 잘 못 말해진』, 모든 글쓰기의 실패를 전제로 하고 그 과정 자체를 점점 더 나쁘게 이끌어가는『최악을 향하여』. 서로 다른 지점을 향하고 있는 것처럼 보이는 이 작품들의 내면에서, 베케트의 후기 문학을 특징지을 수 있는 어떤 미학을 가늠해볼 수 있을까? 그것을 "계속할 도리가 없는"이라고 이름 붙일 수 있을까? 분명한 사실은, 이 세 작품은 각각 독자적인 세계를 형성한다기보다는 베케트의 전체 문학 안에서 서로를 보완해주는 연속성과 통일성을 지닌다는 점이다. 이는 '3부작' 이전부터 계속되어온, 그 이후로도 계속될, 어떤 집요한 글쓰기이며 힘겨운 싸움이다.

3. M, V, W: 상상된 동반자들

『동반자』는 베케트가 1977년부터 영어로 쓰기 시작한 작품이다. 애초의 원고에는 "목소리(The Voice)" 또는 "말 그대로(Verbatim)"라고 표시되어 있던 이 텍스트는, '어떤 목소리를 듣는 누군가를 상상하는 다른 누군가'의 이야기라고 할 수 있다. 따라서 이 작품의 등장인물 또는 행위자는 "목소리", "듣는 자", 그리고 이들을 "상상하는 자/만들어내는 자", 이렇게 셋으로 파악될 수 있으며, 서술 행위 또한 다층적이다. 즉 이 작품은 전통적인 소설에서처럼 하나의 이야기를 중심으로 일관되고 순차적으로 전개되는 것이 아니라, 앞서 언급된 세 구성 요소들이 번갈아가며 등장해서 서술 행위의 초점과 형태를 달리하는 총 59개의 문단으로 이루어져 있다. 이를 정리해보면 다음과 같다.

1) 3인칭 서술자의 "듣는 자"에 대한 묘사들
2) 2인칭 서술자("목소리")가 "너/듣는 자"에게 상기시키는 과거 기억들
3) 3인칭 서술자("상상하는 자")의 서술 행위 자체에 대한 언급들

이들은 각각 "M(Me/Moi? = 듣는 자)"과 M을 뒤집은 W, 즉 M을 만들어낸/상상해낸 "다른 성격을 지닌 그 자신"(29면)(double you/double V?), 그리고 목소리 V(Voice/Voix)로 명명되고, 이 셋이 하나가 될 때(M = W = V + V) 진정한 주체인 1인칭이 사용될 수 있을 것이다. 그러나 『동반자』의 가장 큰 쟁점은, 바로 이들 사이에 존재하는 이질감과 이타성이다. 누가, 누구에게, 누구의 이야기를 하는 것인가? 이 목소리의 주인은 누구인가? 왜 아무도 "나"라고 말하지 않는가? 이러한 주체의 문제에 대해 『이름 붙일 수 없는 자』의 서술자가 혼란 속에서도 끝까지 1인칭을 고수했던 것과는 달리, 『동반자』의 서술자에게 1인칭의 사용은 금지된다.("어디서도 발견할 수 없는. 어디서도 찾아볼 수 없는. 생각할 수 없는 최후의 사람. 이름 붙일 수 없는. 정말

마지막 사람. 나."[20면]) 이 작품은 결국, "혼자/어둠과 부동성 속에서/자신의 목소리를/듣는" "나"를 상상하는 또 다른 "나"의 이야기라고 할 수 있다. M도, W도, V도, "나"를 대신하는, "나"와 동일하면서도 동시에 이질적인 분신들, 즉 "나"의 상상 속에서 만들어낸 "동반자들"이다. "나"의 동반자가 되어줄 타자는 애초부터 부재하고 기대할 수 없기에, "스스로의 동반자가 되어줄" 허구의 존재들을 만들어내는 일은 절대적인 고독을 견디는 유일한 방법이 된다.

이러한 복합적 서술 행위와 더불어, 『동반자』는 베케트의 문학 세계에서 특별한 의미를 지니는 작품이다. 목소리가 "듣는 자"에게 들려주는 이야기들이 베케트의 개인적 기억들과 겹쳐지기 때문이다. 목소리가 2인칭으로 서술하는 열다섯 개의 이야기들은 "너"의 출생에서부터 소년기와 청년기, 그리고 노년기와 현재를 다루고 있으며, 그것들은 순차적으로 진행되지 않고 조각난 기억들처럼 임의로 제시된다. 또한 에피소드들의 시점과 상황에 관계없이, 목소리의 서술 행위는 마치 "너"와 동일한 체험을 한 것처럼 단정적이고 전지적이다. 만약 목소리가 "너" 대신 1인칭 "나"를 사용했다면, 목소리가 담당하는 파트는 일종의 자서전처럼 읽힐 수도 있었을 것이다. 베케트의 전기 작가들은, 『동반자』에 언급되는 "너"의 출생(성금요일)과 어머니의 산고, 아버지의 외출을 비롯하여 소년기에 어머니와 나눈 대화, 해변의 다이빙대에서 뛰어내리라고 종용하는 아버지, 정원의 전나무 꼭대기에서 뛰어내리는 놀이, 고슴도치의 죽음으로 인한 트라우마 등이 베케트의 실제 체험과 지닌 연관성을 작가의 증언을 토대로 밝혀낸 바 있다. 또한 이 작품에는 베케트의 고향인 아일랜드의 지명들이 그대로 등장한다. 이러한 예들만으로도, 『동반자』를 베케트 문학에서 가장 자서전적인 작품으로 간주해도 큰 무리가 없어 보인다. 베케트의 삶은 그의 많은 작품들 속에 직접적 또는 간접적으로, 그리고 의식적이거나 무의식적으로 반영되어 있지만, 『동반자』만큼 작가의 기억들이 전면에 배치되어 '이야기'를 형성하는 경우는 없었기 때문이다. 그러나 베케트가 이 작품을 자신의 자서전으로 인정한 적도 물론 없고, 일단 작가의 손을 떠나 문학적 글쓰기의 형태를 지닌 한 『동반자』 속의 실재와 허구는 동일시될 수 없을 것이다. 무엇보다, "목소리"가 들려주는 것은 "나"가 아닌 "너"의 이야기이기 때문이다. 결국 그 기억들의 주인은 작가인 베케트와 서술자인 "목소리", 그리고 청자인 "듣는 자" 중 온전히 누구의 것도 아니며, 그들 사이에 존재하거나 아예 "다른 자"의 것일 수도 있다. 결국 베케트의 자서전적 글쓰기는, '누구의 기억인가?' 그리고 '그 기억은 얼마나 신뢰할 수 있는 것인가?'라는 두 가지 문제를 언제나 제기한다고 할 수 있다. 목소리가 "듣는 자"에게 고문하듯 끝없이 과거를 상기시키는 유일한 목적은, "듣는 자"가 스스로 이렇게 고백하도록 하기 위함이다. "마침내 너는 다시 말을 하게 될 것이다. 그래 나는 기억해. 그건 나였어. 그때 그건 나였어."(18면) 『동반자』는 마치, 기억의 주체로서의 베케트와 대상으로서의 베케트가 자신의 이야기를 쓰기 전에 나누는 내면의 대화 같은 작품이다. 그 둘이 "나"로 합쳐지거나 최소한 "우리"로 공존할 때 비로소, 베케트의 자서전이 가능해질 것이다. 그러나 "1인칭 단수와 더군다나 1인칭 복수는 너의 어휘 속에 결코 등장한 적이 없"(39면)다. 결국 『동반자』는 '베케트-나'의 이야기가 아니라 "너와 함께 어둠 속에 있는 다른 누군가의 이야기"가 되거나, "너와 함께 어둠 속에 있는 다른 누군가의 이야기를 지어내는 너의 이야기"(39면)가 될 것이다. 그리고 베케트는, 자서전적 글쓰기가 불가능할 수밖에 없는 그 실패의 과정을 글로 쓴다. 톤더르(Jeanette den Toonder)가 정확히 지적하듯, "따라서 『동반자』의 자서전적 글쓰기는 무엇보다 글쓰기의 자서전이다".[8] 이처럼 기억의 실재와 허구 사이에서 중단되고 다시 시작되는 베케트의 글쓰기는, 결국 글쓰기 자체에 대한 성찰로 되돌아가게 된다.

　　『동반자』의 글쓰기는, 서술 행위와 이야기의 주체를 찾기가 무의미해진 포스트모더니즘적 해체의 과정을 보여준다고 간주될 수도 있다. 그러나 이 작품의, 그리고 베케트 문학의 본질은, "그럼에도 불구하고" 질문과 탐색을 멈추지 않는다는 데 있다. "동반자"가 되어줄 타인이 부재한다면 "스스로의 동반자"를 만들어내서라도, 1인칭이 불가능하다면 2인칭이나 3인칭을 사용해서라도 "목소리"는 계속될 것이고 "상상하는 자"와 "상상된 자"는 서로를 비출 것이다. "상상하는 자가 상상된 자를 만들어 스스로의 동반자가 되기 위해 모든 걸 상상하게 한다."(31면) 마치 주문처럼 반복되는 이 구절은, 『동반자』를 구성하는 M과 W, V, 그리고 작가-베케트까지도 포함된, 그 모든 걸 상상해내는 최초의 "상상하는 자" 사이에서 전개되는 글쓰기의 심연을 보여준다. '동반자'라는 제목으로 시작해서 "혼자"라는 말로 마무리되는 이 작품은, 일면 모든 시도들이 환상에 불과하고 "수포로 돌아간 노력"(39면)으로 귀결되는 것처럼 보이지만, 다시 "혼자"의 상태로 돌아온 어떤 존재를 역설적으로 강조하고 있다. 이는 물론 주체의 확인과는 거리가 먼, 이름 붙일 수 없고 생각할 수도 없는 누군가의 소리이거나 이미지일 것이다. 그러나 그는, 어쩌면 베케트는, 다시 "상상하는 자"가 되어 글쓰기를 통해 또 다른 "동반자"를 불러낼 수 있을 것이다. 이전 소설 3부작의 글쓰기가 "나"로 시작하여 정체성을 잃어가는 과정의 기록이라면, 『동반자』는 "나"의 부재로부터 시작하여 비어 있는 주체의 자리를 찾아가는 글쓰기라고 할 수 있다. 그리고 이는 베케트의 마지막이 될 텍스트들의 시작이기도 하다.

    4. "끈질긴 흔적", 볼 수 없을 때까지, 말할 수 없을 때까지
『잘 못 보이고 잘 못 말해진』은 베케트가 1979년부터 쓰기 시작한 텍스트이며, 1981년에 프랑스어판이, 같은 해에 영어판이 출간되었다. 『동반자』의 서술 행위를 주도하는 것이 '목소리'와 '듣기'였다면, 이 작품은 '눈(œil/eye)'과 '보기'로 요약된다고 할 수 있다. 또한 '목소리'의 주인을 찾는 게 관건이었던 전작과는 달리, 『잘 못 보이고 잘 못 말해진』에서는 '보는 자'가 아닌 '보이는 자'에게 모든 것이 집중된다. 첫 문장에서부터, '보기'의 대상은 "그녀"로 밝혀진다. 모든 것은 이제 그녀와, 그녀 주위에서 보이는 모든 움직임들을 집요하게 쫓는 어떤 "감시자"의 "눈" 사이의 이야기가 된다. 어떻게 볼 것인가? 그리고 본 것을 어떻게 말할 것인가? 어쩌면 글쓰기의 가장 기본이라고 할 수 있는 이 두 질문에 대해, 이 작품은 제목을 통해 미리 결론을 내리고 있다.

모든 것은, "잘 못 보이고 잘 못 말해"질 것이다. 이는 베케트 글쓰기의 숙명이며, 상황은 점점 더 악화된다.

서술자가 어렵게 파악해낸 그녀의 정보는 이러하다. 외딴 장소에 있는 어떤 오두막에서, 한 늙은 여자가 고립된 채 살아간다. 온통 검은 옷을 입고서. "아직 살아 있다는 게 그녀에게는 마치 불행이기라도 한 것처럼."(47면) 평소 그녀의 움직임은 미미하다. 그러다 해가 지면 서쪽에 가장 먼저 떠오르는 별, 금성을 본다. 그러면 그녀는 길을 나선다. 언제나 정해진 여정. "오두막에서. 자갈밭 너머로. 초원을. 안개 속에서. 무덤 앞. 그리고 돌아오는 것."(56면) 베케트는 1976년 발표한 『다시 끝내기 위하여 그리고 다른 실패작들』중 단편 「어느 저녁」에서 상복을 입고 무덤을 찾아가는 한 늙은 여인의 이야기를 이미 선보인 바 있었다. 『잘 못 보이고 잘 못 말해진』은, 그 이미지에서 출발해 좀 더 자세히 보고 좀 더 많이 말하는 과정에서 필연적으로 부딪치게 되는 문제들을 담아낸 것으로 보인다. 즉 이야기의 차원에 머물렀던 「어느 저녁」은, 이제 보다 근본적인 인식의 문제, 글쓰기의 문제로 확장된다.

그러나 그녀를 "감시"하고 설명하려는 눈의 작업은 언제나 난관에 부딪친다. 그녀의 존재만큼이나 그녀의 부재가 서술자를 방해하기 때문이다. "문에 붙어서 한참 동안 움직이지 않고 그는 귀를 기울인다. 아무것도 없다. 두드려본다. 아무도 없다. 작은 빛줄기라도 하나 보려고 밤새도록 감시하지만 헛된 일이다. 결국 자기 사는 곳으로 돌아가 고백한다, 아무도 없어."(47–8면) 부재하는 것을 어떻게 볼 것인가? 보지 못한 것을 어떻게 말할 것인가? 이처럼 "무력함에 지친 눈"(52면) 앞에, 그녀는 언제나 "갑자기" 다시 나타나고, 또 사라진다. 그러면 "이미 잘 못 보인 것이 희미해지거나 다시 잘 못 보인 것이 무효가 된다".(64면) 혹시 "이토록 죽어가는 이 늙은 여자"(51면)는 이미 죽은 게 아닐까? "모든 게 그저 그림자에 불과하다면. 존재하지도 않고 존재했던 적도 없고 존재할 수도 없이"?(51면) 서술자 스스로도, 이미 그녀의 죽음을 염두에 두고 있다. 다만 다시 보고, 다시 말을 할 수 있도록, 끝을 유보할 뿐이다. "그녀가 이미 죽어버렸다 해도 전혀 충격적이지는 않을 것이다. 그녀는 물론 죽어 있다. 하지만 지금으로서는 그건 적합하지 않다."(61면)

　　이처럼 삶과 죽음 사이를, 존재와 부재 사이를, 실재와 환상 사이를 떠돌며 집요하게 서술자의 눈과 말을 사로잡는 그녀의 주위에, 또 다른 신비로운 형상들이 나타난다. "항상 멀리서" "움직이지 않거나 멀어져가는"(46면), 그렇지만 그녀를 중심에 두고 마치 "수호자"(61면)처럼 둘러싸는 "열둘". 이 12라는 숫자가 지닌 상징성으로 인해, 그들의 정체는 다양하게 해석될 수 있다. 그들은 곧 죽게 될 그녀를 안내하는, 또는 이미 죽은 그녀를 보호하는 성경 속의 '12사도'일 수도 있고, 언제나 하늘을 응시하는 그녀의 눈에 들어온 '12궁(宮)'일 수도 있고, 단순히 시간의 흐름을 나타내는 거대한 시계이거나 1년을 구성하는 열두 달의 은유일 수도 있다. 어쨌거나 그들은 그녀의 눈에 비친, 또는 그녀를 바라보는 눈에게 보인 일종의 '아우라'와 같다. 그러나 그들 또한 실재의 영역에 속하지 않기에 온전히 포착될 수도, 말해질 수도 없다. "보기 위해서 어떠한 빛도 필요치 않은 눈"(52면)이지만, 보인 모든 것들은 이렇듯 불확실하고 불충분할 뿐이다. 머리는 눈을 신뢰하지 못하고, 말은 또 신뢰받지 못한 채 보인 것들을 배신한다(64면). 그 결과, "잘 못 보이고 잘 못 말해진 모든 것들이 폐기된다".(66면) 『잘 못 보이고 잘 못 말해진』은, 결국 "몽상의 상태가 아니고서는 더 이상 불가능"하고, "더 이상 견대낼 수가 없"는(55면), '보기'와 '말하기'의 고문이다. 끝낼 방법은 있다. "이 더러운 육신의 눈을 정말로 감기"(56면), 그리고 더 이상 질문하지 않기(59면). 그래서 "아무렇게나 보여 아무렇게나 말해"(56면)지도록 내버려두기. 그러나 무언가가, "어둠"과 "공허"에 대한 "두려움"이(56면), 그것을 방해한다. 그녀의 "끈질긴 흔적"(69면)은 "이 어두운 마음 안에서. 이 가짜 뇌 속에서"(67면) 완전히 사라지지 않는다. 소멸이 불가능하다면, 폐기보다는 실패가 나을 것이다. 그러니, "마지막으로 끝장을 내려면 어떻게 잘못 말해야 할까?"(69면) '말하는 눈'의 고행은, 볼 수 없을 때까지, 말할 수 없을 때까지 계속될 것이다.

　　『동반자』의 서술 행위가 작가의 개인적 기억들을 소환하면서 어떤 정서적 울림을 지닌다면,『잘 못 보이고 잘 못 말해진』의 "그녀"는 베케트의 삶과 문학에서 중요한 의미를 지니는 '여성/모성'의 이미지와 연관된다고 할 수 있다. 베케트의 전기 작가 놀슨(James Knowlson)이 언급했듯, 작가는 이미 죽은 "그녀"를 통해 그를 평생 사로잡은 어머니에 대한 기억들을 되새기며 정화하고 있는 걸까? 아니면 죽음이 머지않은 그의 배우자, 쉬잔(Suzanne)의 모습을 상상하는 걸까?[9] 회상이든 환상이든,『잘 못 보이고 잘 못 말해진』은 "그녀"에 대한 애도이거나 최소한 "그녀"와의 결별을 준비하는 작가/서술자의 슬픔과 회한이 여실히 묻어나는 작품이다. 그는 "갈색 머리 소녀였던 그녀"를, 지금은 "상상할 수도 없는 예전의 눈물"(53면)을 떠올린다. 그 모습을, 그 기억을 제대로 보고, 말로 옮기고 싶지만 그는 그럴 수 없을 것이다. 지금은 눈물이 얼어버렸고, "축복과도 같았던 예전의 눈물"(54면)을 그리워할 뿐이다. 하지만 이제는 그녀를 떠나보내야 한다. "최소한 얼굴과는", "영원히 안녕"(70면)을 고해야 한다. 그래도 "이 빈 공간을 호흡할 시간"이, 그 얼굴을 다시 보고 다시 말할 시간이, "아직 1초만. 단 1초만"이라도 더 필요하다. 그건 고통스럽지만, 아마도 "행복을 알게 되는"(70면) 순간일 것이다.

5. "최악", 불가능한, 말해질 수 없는

『잘 못 보이고 잘 못 말해진』이 글쓰기의 상황을 '더 나쁘게' 만들었지만 불충분한 대로 어느 정도 계속될 여지를 지니고 있었다면, 이어지는 작품『최악을 향하여』는 제목에서부터 한 걸음 더 나아간다. 베케트가 1981-2년에 영어로 집필했고 1983년에 영국과 미국에서 'Worstward Ho'라는 제목으로 출간된 이 산문은, 베케트 문학의 방향성과 아이러니를 최소의 글쓰기와 핵심적인 화두를 통해 집약하고 있다. 우선 제목인 'Worstward Ho'는 '최악(worst)'과 방향을 나타내는 접미사 '-ward'가 결합한 베케트의 신조어이며, '가장 나쁜 쪽으로'를 의미하게 된다. 여기에 기쁨이나 놀람 등의 감정을 표현하는 감탄사 'Ho'가 더해지면, '가자, 최악을 향하여' 정도의 뜻을 지니게 된다. 마치 자신의 작품이 최악이 되길 스스로 독려하는 듯한 아이러니를 내포한 이 제목은, 영어가 아닌 다른 언어로는 온전히 표현되기 어려운 맥락을 지니고 있다. 'Worstward Ho'는 영미 문학사에서 이미 존재했던 제목 'Westward Ho'를 살짝 비튼 것이기 때문이다. 'Westward Ho'는 셰익스피어와 동시대 작가였던 존 웹스터(John Webster)와 토머스 데커(Thomas Dekker)가 1604년에 발표한 희곡의 제목이며, 미국의 작가 찰스 킹즐리(Charles Kinsley)는 1855년에 『Westward Ho!』라는 역사소설을 발표한 바 있었다. 그가 소설 속에서 묘사한 영국 데번주 비드퍼드(Bideford)의 작은 마을은 그 후 느낌표까지 포함된 'Westward Ho!'라는 이름으로 지금까지도 불리고 있다. 그 외에도 이 제목은 영화와 노래, 선박의 이름 등에 사용되어 영어권 대중에게는 의미가 바로 전달되는 표현("가자, 서쪽으로!")이다. 베케트가 'Westward Ho'에 주목한 또 다른 이유는 개인적인 것으로 추측된다. 그는 1935년에 앞서 언급된 'Westward Ho!' 해변을 어머니와 함께 방문한 적이 있기 때문이다.[10] 결국 베케트의 선택은, 단어 하나를 바꿔서 원래의 의미가 지닌 익숙함을 낯설게 만들고 그것을 자신이 추구하는 방향성과 맞게 '더 나쁜', 또는 '가장 나쁜' 쪽으로 이끌어가려는 것이라고 볼 수 있다.

주지하다시피 베케트는 영어와 프랑스어를 오가며 자신이 쓴 거의 모든 작품들을 직접 번역했던, 문학사에서 거의 예를 찾아볼 수 없는 작가들 중 한 명이다. 이러한 '자기-번역(auto-traduction)'은, 작가가 자신의 언어를 다른 언어로 옮기는 과정에서 번역이 아닌 '다시 쓰기'의 문제와 직면하게 되는, 베케트 특유의 미학을 보여주는 작업이다. 『Worstward Ho』는 그가 프랑스어로 번역하지 않은 드문 작품들 중 하나이며, 베케트는 더 나아가 번역의 불가능함을 스스로 인정하기까지 했다. 그 이유를 묻는 질문에, 베케트는 이렇게 반문한다. "이 책의 첫 단어들인 'On. Say on'조차, 어떻게 그 힘을 잃지 않으면서 번역할 수 있을까요?"[11] 그럼에도 그는 이 작품의 프랑스어 번역을 어느 정도 시도했지만 결국 단념하게 되었고, 프랑스어판인 『Cap au pire』는 그의 사후인 1991년 에디트 푸르니에의 번역을 통해 출간됐다.

물론 베케트는 생전에 푸르니에와 이 작품을 프랑스어로 옮기는 문제에 대해 충분히 의견을 교환했으며, 'Cap au pire'라는 제목도 푸르니에의 제안들 중 베케트가 최종적으로 선택한 것으로 알려졌다.[12] 이처럼 제목에서부터 작가를 고민하게 만든 이 작품의 번역은, 이른바 '후기 3부작'의 영미판 제목인 'Nohow On'에서 더욱 한계에 부딪치게 된다. 『최악을 향하여』의 처음과 끝에 등장하는 이 표현은 'No'와 그 거울 이미지와도 같은 'On' 사이의 딜레마를 압축하고 있으며, 이 두 단어는 계속 반복되며 작품을 이끌어가는 두 축이라고 할 수 있다. 즉 '부정 / 정지 / 끝(No)'과 '긍정 / 움직임 / 계속(On)'이라는, 베케트 글쓰기의 대립되는 두 동력인 것이다. 단어들 자체가 지닌 이러한 울림과 이미지를, 다른 언어로 과연 온전히 담아낼 수 있을까? 작가 자신조차, '잘 못 번역되는' 것이 불가피함을 알고 단념한 걸까?

　　『최악을 향하여』는, 작가-번역자-독자 모두를 언어의 미로 속에 빠트리는 작품이다. 베케트의 글쓰기에서 이제 온전한 문장은 거의 사라지고, 말과 인물과 이미지는 최소의 뼈대만 남겨진다. 더 이상 '무엇'에 대한 이야기가 아니라, 글을 쓰고-고치고-다시 쓰는 과정만으로 이루어진, 마치 완성된 텍스트가 아니라 그 이전에 작가의 머릿속에서 일어나는 모든 구상들의 기록과도 같은. 이 작품은 바로 이전의 『잘 못 보이고(ill seen) 잘 못 말해진(ill said)』에서 제시된 화두들조차 부정한다. "이제부터 말하기는 잘못 말해지기(missaid)"(75면) 그리고 "이제부터 보기는 잘못 보이기(misseen)"(77면)로 정의되기 때문이다. 이러한 "잘 못(ill)"에서 "잘못(mis-)"으로의 변화는,[13] 베케트의 글쓰기가 한계에 이르렀음을 암시한다고도 볼 수 있다. 비록 서툴고 불충분하게 드러나더라도 "보려고 애쓰던 때"와 "말하려고 애쓰던"(77면) 때가 있었다면, 이제 '보기'와 '말하기'의 결과는 오류와 거짓이 될 수밖에 없기 때문이다. 그렇다면 "거기엔 어떤 미래도 없"을 것이지만, "슬프게도 있다".(76면) 이러한 실패 자체를, 오직 그것만을 글쓰기의 대상으로 삼기. 바로 이것이 베케트만이 시도할 수 있었던 '실패의 미학'이다. "다시 시도하기. 다시 실패하기. 더 잘 실패하기."(75면) 실패가 자명한 상황에서, 베케트의 야심은 오히려 글쓰기를 조각조각 해부해서 그것이 지닌 최악의 상태를 보여주는 게 된다. 즉 말들이 "정말로 역겨워질 때까지", 말들을 "정말로 게워낼 때까지. 정말로 떠날 때까지", 그때까지 "어떻게든 계속. 도저히 안 될 때까지 계속. 말하자면 도저히 계속할 수 없을 때까지"(75면) 최악을 향해 가는 것이다. 이런 측면에서 볼 때, 베케트가 『최악을 향하여』를 구상하던 당시 수첩에 적어두었다고 알려진 셰익스피어의 「리어왕」 4막 1장에 나오는 다음 구절은 의미심장하게 읽힌다. "이것이 최악이다, 라고 말할 수 있는 한, 최악이 아니다(The worst is not, so long as one can say, This is the worst)."[14] 결국 베케트는, '최악'은 말해질 수 없으며(그 또한 "잘못" 말해질 것이기에) 따라서 자신의 "최악을 향한" 항해가 목적지에 다다를 수 없다는 것 또한 인식하고 있었던 게 아닐까? 그렇다면 남은 방법은, "최악보다 훨씬 더 나쁜 게 없다면"(87면), "그보다 더 나빠지길 기다리며"(82면), 모든 걸 다시 시도하고, 다시 실패하는 것이다. "최악"은, 베케트에게는 마치 고도처럼, 아무리 기다려도 끝내 오지 않는 대상일까?

　　무엇을 실패할 것인가? 무엇을 더 나쁘게 만들 것인가? 글쓰기를 이루는 모든 것들. 『최악을 향하여』의 세계에서, 모든 것들은 점점 작아지고, 적어진다. 존재하는 것은 오직 "빈 공간"과 "흐릿한 빛", 그리고 그림자들뿐이다. 외부의 공간은 이미지와 상상을 통해서만 언급된다. 하지만 베케트의 1965년 단편 「죽은 상상력 상상해보라」의 제목에서 이미 선언된 것처럼, '죽은 상상력'으로는 어느 것도 확실하게 포착할 수가 없다. 그래도 그림자들의 어떤 실체라고 부를 수 있는 것들이 세 가지 등장한다. "하나"는 "무릎 꿇은 자", "둘"은 "한 사람처럼 끈질기게 걸어가는 한 쌍", 그리고 "셋"은 "소위 모든 것의 중심"이라는 어떤 "머리"(80면). 이들은 일단 말해졌다가 교대로 다시 언급되며 취소되거나 부정된다. "하나"는 처음에 그저 어떤 "몸", "서서 버티는 것 외에는 다른 선택이 없는 그런 뼈들의 고통"(76면)에 대한 것이었다가, "무릎을 꿇고 있는" "그림자"(79면)로 수정되고, 마침내 그것은 "아무 근거도 없지만", "누구의 것도 아닌 묘지들 위에서 소리 없이

웅크리고 있는"(95면) "늙은 여자의 것"(89면)으로 결정된다.『잘
못 보이고 잘 못 말해진』의 "그녀"의 이미지가, 여전히 사라지지
않은 걸까? 반면 "둘"은 "노인과 아이"라는 한 쌍으로 이루어져
있으며, 처음엔 "한 몸 같은 둘"에서 시작되어 다시 상상될수록
점점 더 나빠진다. 장화는 맨발이 되고, 심지어 "몸통만 빼놓고
모든 게 사라져"버려, "다리도 없이 끈질기게 가는"(94면) 그림자가
된다. 이 모든 상상은 "머리"에서 나온다. 그러나 "셋" 또한 이
쇠락의 과정을 면하지는 못한다. "머리"는 "두개골"과 "감긴 채
응시하는 눈"(76-7면)으로 이루어져 있으며, 거기로부터 모든 게
잘못 보이고, 잘못 말해지고, "정신의 잔해들"(86면)이 스며 나온다.
그래도 "모든 것의 무대이자 구경꾼"(83면)이 되어, "머리"는
"어떻게든 계속, 어떻게라도 계속" 응시하고, 말하고, 존재한다.
"마침내 모든 게 사라질 때까지."(83면) 그러나 "하나"도, "둘"도,
"셋"도, 다른 어떤 곳도 존재하지 않는 유일한 장소인 "빈 공간"도,
"출처를 알 수 없는 흐릿한 빛"도, 더 작아지고 더 나빠질 수만
있을 뿐 영원히 사라질 수는 없다. "절대 불가능한 무"(95면)에
대한 이 "오랜 헛된 갈망"(90면)이야말로, 말년의 베케트를
끝까지 "희미하면서도 집요하게 괴롭"(93면)힌 딜레마였으며
동시에 그가 계속 글을 쓰게 만드는 동력이 되었다고 할 수 있다.
『최악을 향하여』의 마지막이 글쓰기를 계속하기가 불가능함을
고백하면서도("더 적어질 도리가 없는. 더 나빠질 도리가 없는.
무[無]가 될 도리가 없는. 계속할 도리가 없는."[96면]) "no"가 아닌
"on"으로 마무리되는 것("nohow on")은, 존재하는 한, 상상하고
말할 수 있는 한 언어와의 싸움을 멈출 수 없다는 작가의 의지를
암시하는 것이 아닐까? 베케트의 문학적 고행은 실패할 수밖에
없다는 점에서 비극적이지만, 그 실패를 기꺼이 감당하고 오히려
"최악"에 더 가까이 가고자 했다는 점에서 영웅적이다.『이름
붙일 수 없는 자』의 마지막 다짐인 "난 계속할 수 없다, 난 계속할
것이다(I can't go on, I'll go on)."는『최악을 향하여』에서 주어도
없이 "어떻게든 계속(Somehow on) / 계속할 도리가 없는(Nohow
on)"으로 방향이 뒤집히지만, 집요한 "on"의 상상력은 끝나지
않는다. 말년의 베케트의 삶과 글쓰기는, 그렇게 하나가 된다.

6. 글쓰기의 끝, 존재의 소멸

80대에 접어들면서 베케트의 건강은 급격히 나빠졌고, 특히 폐공기증 증세를 보이면서 1987년부터는 원활히 호흡하기 위해 흡입기를 써야 했다고 알려졌다.[15] 거기에 소중했던 지인들이 하나씩 세상을 떠나는 것을 보며, 베케트의 글쓰기는 『최악을 향하여』가 출간된 1983년 이후 잠시 공백기를 갖게 된다. 그러다 1984년의 어느 날, 바이러스 감염에서 회복된 그는 40년 동안 우정을 이어오던 화가 아비그도르 아리카(Avigdor Arikha)에게 이렇게 털어놓으며 새로운 글의 시작을 알린다. "늙은 머리는 죽어가는 세포들로부터 오는 (안도의) 한숨뿐입니다. 마지막 기회 중 하나, 정말 마지막으로, 난 시도해볼 겁니다. '그가 머리를 손에 파묻고 앉아 있는 장소에서 그는 자신이 일어나서 사라지는 모습을 본다.' 말로 표현할 수 없는 출발. 시도해보는 일만 남았습니다…. 어서 빨리."[16] 베케트는 그렇게 다시 글을 쓰게 되고, 영어로 단편 두 편을 기록해놓는다. 아직 이름이 붙여지지 않은 이 텍스트들이 하나로 묶여 출판된 과정은 다소 특별하다. 베케트 작품의 미국 출판을 담당하던 그로브 출판사의 편집장 바니 로셋(Barney Rosset)이 실적 부진을 이유로 해고당할 위기에 놓이자, 베케트가 그를 돕기 위해 새 작품 출간을 서둘렀던 것이다. 그는 심지어 봉인해두었던 첫 소설 『그저 그런 여인들에 대한 꿈(Dream of Fair to Middling Women)』과 첫 희곡 『엘레우테리아(Eleutheria)』의 출판을 로셋에게 허락할 생각도 했었지만 차마 실행에 옮기지 못하고, 대신 미완의 두 단편에 하나를 더해 로셋에게 보낸다.[17] 『떨림(Stirring Still)』은 이런 과정을 거쳐 1988년에 출판된 작품이며, "바니 로셋을 위하여"라는 이례적인 헌사는 이러한 이유로 포함되었다.

『떨림』은 베케트가 생전 마지막으로 발표한 산문이고, 1988년의 시 「어떻게 말할까(Comment dire)/무어라 말하나(What is the word)」와 더불어 작가의 마지막 글쓰기가 된다. 그는 또한 펜을 잡을 힘이 더 이상 남아 있지 않았음에도 불구하고, 삶의 마지막 해가 된 1989년에도 이 산문을 프랑스어로 옮기는 일에 전념했다. 결국 'Soubresauts'로 명명된 프랑스어 제목이 어떤 동요와 떨림을 한 단어로 표현했다면, 영어 제목은 여전히 '움직임(Stirring)'과 '정지(Still)' 사이에 있는 베케트의 딜레마를 시적으로 담고 있다. 작가가 『최악을 향하여』에서 시도했던 단어 위주의 간결하고 응축된 글쓰기에 비해, 『떨림』은 상대적으로 문장 위주로 전개되고 다시 인물이 등장한다. 3인칭으로 표현되는 '그'는, 베케트 문학의 마지막 존재일 것이다. 어쩌면 '그'는 말년의 자기 모습일 수도 있다. 그는 그렇게 자신의 의식처럼 점점 희미해져가는 빛 속에 혼자 버티며, "모든 일을 다 한 후의 휴식"(102면)을 취하고 있는 것처럼 보인다. 하지만 그는 쉴 수가 없다. "머리를 양손으로 감싸고 자신의 탁자 앞에 앉아 자신이 일어나서 떠나는 모습"(101면)을 보기 때문이다. 그는 정지해 있지만, 또 다른 '그'는 베케트 문학의 많은 인물들이 그랬던 것처럼 "예전에 방황하던 때와 같은 모자 같은 외투"를 입고서 "항상 뒷모습만 보"(102면)이며 움직이고, 사라지고, 다시 나타난다. 이렇게 '상상된 그'는, '상상하는 그'가 만들어낸 스스로의 "동반자"일까? 그는 자신과 너무나 닮은 이 "동반자"가 "다시 사라지기를 더 이상 다시 나타나지 않기를 매번 반쯤 바라고 반쯤 두려워하며"(102면), "그렇게 시간과 슬픔과 자기 자신과 또 다른 자기 자신의 유일하고 진정한 끝을 기다리며 참아내"(103면)고 있다. 그러다 마침내 "그의 귀 오 정말로 깊은 그곳에서" "희미한 중얼거림"이 들린다(105면). 거기서 끝내라는. 그래서 이렇게 마무리된다. "그의 소위 정신에서는 일종의 소음 같은 것이 요란하다가 가장 깊은 곳에서부터 점점 희미해지고 점점 멀어져서 더 이상 아무것도 남지 않게 되고 오 끝나버린다. 어떻게든지 어디서든지. 시간과 고통 그리고 소위 자기 자신. 오 모두 끝나버리길."(106면) 도저히 계속될 수 없을 것 같았던, 그러나 도저히 끝날 수도 없을 것 같았던 베케트의 글쓰기는, 그의 문학과 삶은, 이렇게 마침표를 찍는다. 그리고 우리는, 최악의 실패를 향하는 한 작가의 고집스럽고 고통스러운 여정의 마지막으로부터, 글쓰기가 보여줄 수 있는, 아니 보여줄 수 없는, 최고의 성취를 얻게 된다.

7. 번역해야 하는, 번역할 도리가 없는

작가조차 자신의 글을 다른 언어로 옮기는 걸 힘겨워했던, 그래서 심지어 단념하기까지 했던 베케트의 말들을, 어떻게 한국어로 번역할 것인가? 특히 그의 마지막 산문들은 옮긴이 또한 그 도저한 언어의 미로 속으로 끌어들여 헤어나지 못하게 한다. 간신히 뼈대만 추슬러 빠져나온 다음에는, 또다시 작품들에 대한 해설이 남아 있다. 이 책이 "잘 못 읽히고 잘 못 옮겨진" 기록일지도 모른다는 불안함, 그럼에도 몇 명의 독자라도 그 세계로 초대할 수 있을지도 모른다는 기대, 그것이 이 책의 출간을 "반쯤 바라고 반쯤 두려워하는" 이유가 될 것이다. 베케트 연구로 석사 논문을 마칠 무렵 작가의 사망 소식을 접했을 때도, 박사 논문을 마치고 파리 몽파르나스에 있는 그의 묘비 앞에 섰을 때도, 그리고 그의 마지막 글들을 어떻게든 옮기고 난 지금도, 베케트의 문학은 언제나 저 너머에 있다. 그래도 다시 시도하고, 다시 실패하고, 더 잘 실패하는 것이 글쓰기의, 다시 쓰기의 숙명임을, 베케트에게서 배우고 위안으로 삼는다. "번역할 도리가 없는" 그의 글 앞에서 오래 서성이고 망설이던 옮긴이에게 다시 기회를 주고 기다려준 워크룸 프레스에 감사의 마음을 전한다.

임수현

1. 사뮈엘 베케트, 『이름 붙일 수 없는 자』, 파리, 미뉘 출판사(Les Éditions de Minuit), 1953, 9면.

2. 같은 책, 192면.

3. 같은 책, 114면.

4. 같은 책, 213면.

5. 알랭 바디우, 『베케트에 대하여』, 서용순 · 임수현 옮김, 민음사, 2013, 30면.

6. 같은 책, 96면.

7. S. E. 곤타스키(S. E. Gontarski), 「서문(Introduction)」, 사뮈엘 베케트, 『계속할 도리가 없는(Nohow On)』, 뉴욕, 그로브 출판사(Grove Press), 2011, xii면.

8. "L'écriture autobiographique de Compagnie est donc surtout l'autobiographie de l'écriture", 제네터 덴 톤더르(Jeanette den Toonder), 「동반자: 자전적이며 메타텍스트적인 망상(Compagie ; chimère autobiographique et métatexte)」, 베케트 앤드 라 프시카네이즈 앤드 프시코아날리시스(Beckett & La Psychanayse & Psychoanalysis), 『사뮈엘 베케트 투데이 / 오주르뒤(Samuel Beckett Today / Aujourd'hui)』 5호, 시에프 하우퍼르만스(Sjef Houppermans) 편집, 암스테르담-애틀랜타, 로도피(Rodopi), 1996, 145면.

9. 제임스 놀슨(James Knowlson), 『베케트(Beckett)』, 오리스텔 보니스(Oristelle Bonis) 옮김, 파리, 악트 쉬드(Acte Sud), 1999, 843면.

10. 같은 책, 272면.

11. 같은 책, 860면.

12. 같은 책.

13. 프랑스어로는 "잘 못(ill)"과 "잘못(mis-)"이 모두 부사 "mal"로 표현된다. 이 또한 베케트 언어를 번역하는 일의 어려움을 보여주는 예일 것이다.

14. 디르크 판 휠러(Dirk Van Hulle), 「더 멀리는 불가능하다: 베케트 그리고 계속할 도리가 없는 기원('Plus loin ne se peut': Beckett et la genèse de Nohow On)」, 『로망 20-50(Roman 20-50)』 2015년 2월(60호), 20면.

15. 제임스 놀슨, 『베케트』, 877면.

16. 같은 책, 875면.

17. 같은 책, 877면.

작가 연보*

1906년 — 4월 13일 성금요일, 아일랜드 더블린 남쪽 마을 폭스록의 집
    '쿨드리너(Cooldrinagh)'에서 신교도인 건축 측량사 윌리엄(William)과 그 아내
    메이(May)의 둘째 아들 새뮤얼 바클레이 베킷(Samuel Barclay Beckett)** 출생.
    형 프랭크 에드워드(Frank Edward)와는 네 살 터울이었다.

1911-4년 — 더블린의 러퍼드스타운에서 독일인 얼스너(Elsner) 자매의 유치원에 다닌다.

1915년 — 얼스포트 학교에 입학해 프랑스어를 배운다.

1920-2년 — 포토라 왕립 학교에 다닌다. 수영, 크리켓, 테니스 등 운동에 재능을 보인다.

1923년 — 10월 1일, 더블린의 트리니티 대학교에 입학한다. 1927년 졸업할 때까지 아서
    애스턴 루스(Arthur Aston Luce)에게서 버클리와 데카르트의 철학을, 토머스
    러드모즈브라운(Thomas Rudmose-Brown)에게 프랑스 문학을, 비앙카
    에스포지토(Bianca Esposito)에게 이탈리아문학을 배우며 단테에 심취하게 된다.
    연극에 경도되어 더블린의 아베이극장과 런던의 퀸스 극장을 드나든다.

---

* 이 연보는 베케트 연구자이자 번역가인 에디트 푸르니에(Edith Fournier)가 정리한
연보(파리, 미뉘, www.leseditionsdeminuit.fr/auteur-Beckett_Samuel-1377-1-1-0-1.
html)와 런던 페이버 앤드 페이버의 베케트 선집에 실린 카산드라 넬슨(Cassandra
Nelson)이 정리한 연보, C. J. 애커리(C. J. Ackerley)와 S. E. 곤타스키(S. E. Gontarski)가
함께 쓴 『사뮈엘 베케트 안내서(The Grove Companion to Samuel Beckett)』(뉴욕,
그로브, 1996), 마리클로드 위베르(Marie-Claude Hubert)가 엮은 『베케트 사전
(Dictionnaire Beckett)』(파리, 오노레 샹피옹[Honoré Champion], 2011), 제임스
놀슨(James Knowlson)의 베케트 전기 『명성을 누리도록 저주받은 삶: 사뮈엘 베케트의
삶(Damned to Fame: The Life of Samuel Beckett)』(뉴욕, 그로브, 1996), 『사뮈엘
베케트의 편지(The Letters of Samuel Beckett)』 1-3권(케임브리지, 케임브리지 대학교
출판부[Cambridge University Press], 2009-14) 등을 참조해 작성되었다.
베케트 작품명과 관련해, 영어로 출간되었거나 공연되었을 경우 영어 제목을,
프랑스어였을 경우 프랑스어 제목을, 독일어였을 경우 독일어 제목을 병기했다. 각 작품명
번역은 되도록 통일하되 저자나 번역가가 의도적으로 다르게 옮겼다고 판단될 경우
한국어로도 다르게 옮겼다. — 편집자
** 아일랜드 출신이지만 프랑스에서 활동하며 주로 프랑스어로 글을 쓴 작가 베케트는
프랑스어 표기법에 따른 이름 '사뮈엘 베케트'로 알려져 있다. 그러나 이 경우 출생 시
이름이기에 영어 표기법을 따랐다. — 편집자

1926년 — 8-9월, 프랑스를 처음 방문해 투르의 루아르 계곡과 일대 성들을 자전거로 일주한다. 이해 말 트리니티 대학교에 강사 자격으로 와 있던 작가 알프레드 페롱(Alfred Péron)을 알게 된다.

1927년 — 4-8월, 이탈리아의 피렌체와 베네치아를 여행하며 여러 미술관과 성당을 방문한다. 12월 8일, 문학사 학위를 취득한다(프랑스어·이탈리아어, 수석 졸업).

1928년 — 1-6월, 벨파스트의 캠벨 대학교에서 프랑스어와 영어를 가르친다. 11월 1일, 파리의 고등 사범학교 영어 강사로 부임한다(2년 계약). 여기서 다시 알프레드 페롱을, 그리고 자신의 전임자인 아일랜드 시인 토머스 맥그리비(Thomas MacGreevy)를 만나게 된다. 맥그리비는 파리에 머물던 아일랜드 작가이자 베케트에게 큰 영향을 미치게 되는 제임스 조이스(James Joyce)를 소개해주고, 또한 파리의 영어권 비평가와 출판업자들, 즉 문예지 『트랜지션(transition)』을 이끌던 마리아(Maria)와 유진 졸라스(Eugene Jolas), 파리의 영어 서점 셰익스피어 앤드 컴퍼니(Shakespeare and Company) 운영자 실비아 비치(Sylvia Beach) 등을 소개한다.

1929년 — 3월 23일, 전해 12월 조이스가 제안해 쓰게 된 베케트의 첫 비평문 「단테… 브루노. 비코‥조이스(Dante...Bruno. Vico..Joyce)」를 완성한다. 이 비평문은 『'진행 중인 작품'을 진행시키기 위하여 그가 실행한 일에 대한 우리의 검토(Our Exagmination Round his Factification for Incamination of Work in Progress)』(파리, 셰익스피어 앤드 컴퍼니, 1929)의 첫 글로 실린다. 6월, 첫 비평문 「단테… 브루노. 비코‥조이스」와 첫 단편 「승천(Assumption)」이 『트랜지션』에 실린다. 12월, 조이스가 훗날 『피네건의 경야(Finnegans Wake)』에 포함될, 『트랜지션』의 '진행 중인 작품' 섹션에 연재되던 글 「애나 리비아 플루라벨(Anna Livia Plurabelle)」의 프랑스어 번역 작업을 제안한다. 베케트는 알프레드 페롱과 함께 이 글을 옮기기 시작한다. 이해에 여섯 살 연상의 피아니스트이자 문학과 연극을 애호했던, 1961년 그와 결혼하게 되는 쉬잔 데슈보뒤메닐(Suzanne Dechevaux-Dumesnil)을 테니스 클럽에서 처음 만난다.

1930년 — 3월, 시 「훗날을 위해(For Future Reference)」가 『트랜지션』에 실린다. 7월, 첫 시집 『호로스코프(Whoroscope)』가 낸시 커나드(Nancy Cunard)가 이끄는 파리의 디 아워즈 출판사(The Hours Press)에서 출간된다(책에 실린 동명의 장시는 출판사가 주최한 시문학상에 마감일인 6월 15일 응모해 다음 날 1등으로 선정된 것이었다). 맥그리비 등의 주선으로 마르셀 프루스트(Marcel Proust)에 관한 에세이 청탁을 받아들이고, 8월 25일 쓰기 시작해 9월 17일 런던의 출판사 채토 앤드 윈더스(Chatto and Windus)에 원고를 전달한다. 10월 1일, 트리니티 대학교 프랑스어 강사로 부임한다(2년 계약). 11월 중순, 트리니티 대학교의 현대 언어 연구회에서 장 뒤 샤(Jean du Chat)라는 이명으로 '집중주의(Le Concentrisme)'에 대한 글을 발표한다.

1931년 — 3월 5일, 채토 앤드 윈더스의 '돌핀 북스(Dolphin Books)' 시리즈에서
『프루스트(Proust)』가 출간된다. 5월 말, (첫 장편소설의 일부가 될)「독일
코미디(German Comedy)」를 쓰기 시작한다. 9월에 시「알바(Alba)」가『더블린
매거진(Dublin Magazine)』에 실린다. 시 네 편이『더 유러피언 캐러밴(The
European Caravan)』에 게재된다. 12월 8일, 문학 석사 학위를 취득한다.

1932년 — 트리니티 대학교 강사직을 사임한다. 2월, 파리로 간다. 3월,『트랜지션』에 공동
선언문「시는 수직이다(Poetry is Vertical)」와 (첫 장편소설의 일부가 될) 단편
「앉아 있는 것과 조용히 하는 것(Sedendo et Quiescendo)」을 발표한다. 4월,
시「텍스트(Text)」가『더 뉴 리뷰(The New Review)』에 실린다. 7–8월, 런던을
방문해 몇몇 출판사에 첫 장편소설『그저 그런 여인들에 대한 꿈(Dream of Fair to
Middling Women)』(사후 출간)과 시들의 출간 가능성을 타진하지만 거절당하고,
8월 말 더블린으로 돌아간다. 12월, 단편「단테와 바닷가재(Dante and the
Lobster)」가 파리의『디스 쿼터(This Quarter)』에 게재된다(이 단편은 1934년 첫
단편집의 첫 작품으로 실린다).

1933년 — 2월, 이듬해 출간될 흑인문학 선집 번역 완료. 강단에 다시 서지 않기로 결심한다.
6월 26일, 아버지 윌리엄이 심장마비로 사망한다. 9월, 첫 단편집에 실릴 작품
10편을 정리해 채토 앤드 윈더스에 보낸다.

1934년 — 1월, 런던으로 이사한다. 런던 태비스톡 클리닉의 월프레드 루프레히트
비온(Wilfred Ruprecht Bion)에게 정신분석을 받기 시작한다. 2월 15일, 시
「집으로 가지, 올가(Home Olga)」가『컨템포(Contempo)』에 실린다. 2월
16일, 낸시 커나드가 편집하고 베케트가 프랑스어 작품 19편을 영어로 번역한
『흑인문학: 낸시 커나드가 엮은 선집 1931–3(Negro: Anthology made by Nancy
Cunard 1931–1933)』이 런던의 위샤트(Wishart & Co.)에서 출간된다. 5월 24일, 첫
단편집『발길질보다 따끔함(More Pricks Than Kicks)』이 채토 앤드 윈더스에서
출간된다. 7월, 시「금언(Gnome)」이『더블린 매거진』에 실린다. 8월, 단편「1천
번에 한 번(A Case in a Thousand)」이『더 북맨(The Bookman)』에 실린다.

1935년 — 7월 말, 어머니와 함께 영국을 여행한다. 8월 20일, 장편소설『머피(Murphy)』를
영어로 쓰기 시작한다. 10월, 태비스톡 인스티튜트에서 열린 융의 세 번째 강의에
월프레드 비온과 함께 참석한다. 12월, 영어 시 13편이 수록된 시집『에코의 뼈들
그리고 다른 침전물들(Echo's Bones and Other Precipitates)』이 파리의 유로파
출판사(Europa Press)에서 출간된다. 더블린으로 돌아간다.

1936년 — 6월,『머피』탈고. 9월 말 독일로 떠나 그곳에서 7개월간 머문다. 10월, 시

「카스칸도(Cascando)」가『더블린 매거진』에 실린다.

1937년 ― 4월, 더블린으로 돌아온다. 새뮤얼 존슨(Samuel Johnson)과 그 가족을 다룬 영어 희곡「인간의 소망들(Human Wishes)」을 쓰기 시작한다. 10월 중순, 더블린을 떠나 파리에 정착해 우선 몽파르나스 근처 호텔에 머문다.

1938년 ― 1월 6일, 몽파르나스에서 한 포주에게 이유 없이 칼로 가슴을 찔려 병원에 입원한다. 쉬잔 데슈보뒤메닐이 그를 방문하고, 이들은 곧 연인이 된다. 3월 7일, 『머피』가 런던의 루틀리지 앤드 선스(Routledge and Sons)에서 장편소설로는 처음 출간된다. 4월 초, 프랑스어로 시를 쓰기 시작하고, 이달 중순부터 파리 15구의 파보리트 가 6번지 아파트에 살기 시작한다. 5월, 시「판돈(Ooftish)」이 『트랜지션』에 실린다.

1939년 ― 알프레드 페롱과 함께『머피』를 프랑스어로 번역한다. 7-8월, 더블린에 잠시 돌아가 어머니를 만난다. 9월 3일, 영국과 프랑스가 독일과의 전쟁을 선언하자 이튿날 파리로 돌아온다.

1940년 ― 6월, 프랑스가 독일에 함락되자 쉬잔과 함께 제임스 조이스의 가족이 머물고 있던 비시로 떠난다. 이어 툴루즈, 카오르, 아르카숑으로 이동한다. 아르카숑에서 뒤샹을 만나 체스를 두거나『머피』를 번역하며 지낸다. 9월, 파리로 돌아온다. 페롱을 만나 다시 함께『머피』를 프랑스어로 옮기는 한편, 이듬해 그가 속해 있던 레지스탕스 조직에 합류한다.

1941년 ― 1월 13일, 제임스 조이스가 취리히에서 사망한다. 2월 11일, 소설『와트(Watt)』를 영어로 쓰기 시작한다. 9월 1일, 레지스탕스 조직 글로리아 SMH에 가담해 각종 정보를 영어로 번역한다.

1942년 ― 8월 16일, 페롱이 체포되자 게슈타포를 피해 쉬잔과 함께 떠난다. 9월 4일, 방브에 도착한다. 10월 6일, 프랑스 남부 보클뤼즈의 루시용에 도착한다.『와트』를 계속 집필한다.

1944년 ― 8월 25일, 파리 해방. 10월 12일, 파리로 돌아온다. 12월 28일,『와트』를 완성.

1945년 ― 1월, M. A. I. 갤러리와 마그 갤러리에서 각기 열린 네덜란드 화가 판 펠더(van Velde) 형제의 전시회를 계기로 비평「판 펠더 형제의 회화 혹은 세계와 바지(La Peinture des van Velde ou Le Monde et le pantalon)」를 쓴다. 3월 30일, 무공훈장을 받는다. 4월 30일 혹은 5월 1일 페롱이 사망한다. 6월 9일, 시「디에프 193?(Dieppe 193?)」[sic]이『디 아이리시 타임스(The Irish Times)』에 실린다. 8-12월, 아일랜드 적십자사가 세운 노르망디의 생로 군인병원에서 창고관리인 겸

통역사로 자원해 일하며 글을 쓴다. 다시 파리로 돌아온다.

1946년 — 1월, 시 「생로(Saint-Lô)」가 『디 아이리시 타임스』에 실린다. 첫 프랑스어 단편 「계속(Suite)」(제목은 훗날 '끝[La Fin]'으로 바뀜)이 『레 탕 모데른(Les Temps modernes)』 7월 호에 실린다. 7-10월, 첫 프랑스어 장편소설 『메르시에와 카미에(Mercier et Camier)』를 쓴다. 10월, 전해에 쓴 판 펠더 형제 관련 비평이 『카이에 다르(Cahiers d'Art)』에 실린다. 11월, 전쟁 전에 쓴 열두 편의 시 「시 38-39(Poèmes 38-39)」가 『레 탕 모데른』에 실린다. 10월에 단편 「추방된 자(L'Expulsé)」를, 10월 28일부터 11월 12일까지 단편 「첫사랑(Premier amour)」을, 12월 23일부터 단편 「진정제(Le Calmant)」를 프랑스어로 쓴다.

1947년 — 1-2월, 첫 프랑스어 희곡 「엘레우테리아(Eleutheria)」를 쓴다(사후 출간). 4월, 『머피』의 첫 번째 프랑스어판이 파리의 보르다스(Bordas)에서 출간된다. 5월 2일부터 11월 1일까지 『몰로이(Molloy)』를 프랑스어로 쓴다. 11월 27일부터 이듬해 5월 30일까지 『말론 죽다(Malone meurt)』를 프랑스어로 쓴다.

1948년 — 예술비평가 조르주 뒤튀(Georges Duthuit)가 주선해주는 번역 작업에 힘쓴다. 3월 8-27일 뉴욕의 쿠츠 갤러리에서 열린 판 펠더 형제의 전시 초청장에 실릴 글을 쓴다. 5월, 판 펠더 형제에 대한 글 「장애의 화가들(Peintres de l'empêchement)」이 마그 갤러리에서 발행하던 미술 평론지 『데리에르 르 미르와르(Derrière le Miroir)』에 실린다. 6월, 「세 편의 시들(Three Poems)」이 『트랜지션』에 실린다. 10월 9일부터 이듬해 1월 29일까지 희곡 「고도를 기다리며(En attendant Godot)」를 프랑스어로 쓴다.

1949년 — 3월 29일, 위시쉬르마른의 한 농장에서 『이름 붙일 수 없는 자(L'Innommable)』를 프랑스어로 쓰기 시작한다. 4월, 「세 편의 시들」이 『포이트리 아일랜드(Poetry Ireland)』에 실린다. 6월, 미술에 대해 뒤튀와 나눴던 대화 중 화가 피에르 탈코트(Pierre Tal-Coat), 앙드레 마송(André Masson), 브람 판 펠더(Bram van Velde)에 관한 내용을 「세 편의 대화(Three Dialogues)」로 정리하기 시작한다. 12월, 「세 편의 대화」가 『트랜지션』에 실린다.

1950년 — 1월, 유네스코의 의뢰로 『멕시코 시 선집(Anthology of Mexican Poetry)』(옥타비오 파스[Octavio Paz] 엮음)을 번역하게 된다. 이달 『이름 붙일 수 없는 자』를 완성한다. 8월 25일, 어머니 메이 사망. 10월 중순, 프랑스 미뉘 출판사(Les Éditions de Minuit) 대표 제롬 랭동(Jérôme Lindon)이 쉬잔이 전한 『몰로이』의 원고를 읽고 이를 출간하기로 한다. 11월 중순, 미뉘와 『몰로이』, 『말론 죽다』, 『이름 붙일 수 없는 자』 등 세 편의 소설 출간 계약서를 교환한다. 12월 24일, 「아무것도 아닌 텍스트들(Textes pour rien)」 1편을 프랑스어로 쓴다.

1951년 — 3월 12일, 『몰로이』가 미뉘에서 출간된다. 11월, 『말론 죽다』가 미뉘에서
   출간된다. 12월 20일, 이해 내내 쓴 「아무것도 아닌 텍스트들」을 총 13편으로
   완성한다.

1952년 — 가을, 위시쉬르마른에 집을 짓기 시작한다. 베케트가 애호하는 집필 장소가 될
   이 집은 이듬해 1월 완공된다. 10월 17일, 『고도를 기다리며』가 미뉘에서 출간된다.

1953년 — 1월 5일, 「고도를 기다리며」가 파리 몽파르나스 라스파유 가의 바빌론 극장에서
   초연된다(로제 블랭[Roger Blin] 연출, 피에르 라투르[Pierre Latour], 루시앵
   랭부르[Lucien Raimbourg], 장 마르탱[Jean Martin], 로제 블랭 출연). 5월 20일,
   『이름 붙일 수 없는 자』가 미뉘에서 출간된다. 7월 말, 패트릭 바울즈(Patrick
   Bowles)와 함께 『몰로이』를 영어로 옮기기 시작한다. 8월 31일, 『와트』 영어판이
   파리의 올랭피아 출판사(Olympia Press)에서 출간된다. 9월 8일, 「고도를
   기다리며(Warten auf Godot)」가 베를린 슈로스파크 극장에서 공연된다. 9월
   25일, 「고도를 기다리며」가 파리 바빌론 극장에서 다시 공연된다. 10월 말,
   다니엘 마우로크(Daniel Mauroc)와 함께 『와트』를 프랑스어로 옮기기 시작한다.
   11월 16일부터 12월 12일까지 바빌론 극장이 제작한 「고도를 기다리며」가 순회
   공연된다(독일, 이탈리아, 프랑스). 한편 「고도를 기다리며」의 영어 판권 문의가
   쇄도하자 베케트는 이를 직접 영어로 옮기기 시작한다.

1954년 — 1월, 미뉘의 『메르시에와 카미에』 출간 제안을 거절한다. 6월, 『머피』의 두 번째
   프랑스어판이 미뉘에서 출간된다. 7월, 『말론 죽다』를 영어로 옮기기 시작한다.
   8월 말, 『고도를 기다리며(Waiting for Godot)』 영어판이 뉴욕의 그로브
   출판사(Grove Press)에서 출간된다. 9월 13일, 형 프랭크가 폐암으로 사망한다.
   10월 15일, 『와트』가 아일랜드에서 발매 금지된다. 이해에 희곡 「마지막 승부(Fin
   de Partie)」를 프랑스어로 쓰기 시작해 1956년에 완성하게 된다. 이해 또는
   이듬해에 「포기한 작업으로부터(From an Abandoned Work)」를 영어로 쓴다.

1955년 — 3월, 『몰로이』 영어판이 파리의 올랭피아에서 출간된다. 8월, 『몰로이』
   영어판이 뉴욕의 그로브에서 출간된다. 8월 3일, 「고도를 기다리며」의 첫 영어
   공연이 런던의 아츠 시어터 클럽에서 열린다(피터 홀[Peter Hall] 연출). 8월
   18일, 『말론 죽다』 영어 번역을 마치고, 발레 댄서이자 안무가, 배우였던 친구
   데릭 멘델(Deryk Mendel)을 위해 「무언극 I(Acte sans paroles I)」을 쓴다. 9월
   12일, 「고도를 기다리며」가 런던의 크라이테리언 극장에서 공연된다. 10월 28일,
   「고도를 기다리며」가 더블린의 파이크 극장에서 공연된다. 11월 15일, 「추방된
   자」, 「진정제」, 「끝」 등 단편 세 편과 13편의 「아무것도 아닌 텍스트들」이 포함된
   『단편들 그리고 아무것도 아닌 텍스트들(Nouvelles et textes pour rien)』이
   미뉘에서 출간된다. 12월 8일, 런던에서 열린 「고도를 기다리며」 100회 기념
   공연에 참석한다.

1956년 — 1월 3일, 「고도를 기다리며」가 미국 마이애미의 코코넛 그로브 극장에서
　　　공연된다(앨런 슈나이더[Alan Schneider] 연출). 1월 13일, 『몰로이』가
　　　아일랜드에서 발매 금지된다. 2월 10일, 『고도를 기다리며』가 런던의 페이버 앤드
　　　페이버(Faber and Faber)에서 출간된다. 2월 27일, 『이름 붙일 수 없는 자』를
　　　영어로 옮기기 시작한다. 4월 19일, 「고도를 기다리며」가 뉴욕의 존 골든 극장에서
　　　공연된다(허버트 버고프[Herbert Berghof] 연출). 6월, 「포기한 작업으로부터」가
　　　더블린 주간지 『트리니티 뉴스(Trinity News)』에 실린다. 6월 14일부터 9월
　　　23일까지 「고도를 기다리며」가 파리의 에베르토 극장에서 공연된다. 7월, BBC의
　　　요청으로 첫 라디오극 「넘어지는 모든 자들(All That Fall)」을 영어로 쓰기 시작해
　　　9월 말 완성한다. 10월, 『말론 죽다(Malone Dies)』 영어판이 그로브에서 출간된다.
　　　12월, 희곡 「으스름(The Gloaming)」(제목은 훗날 '연극용 초안 I[Rough for
　　　Theatre I]'로 바뀜)을 쓰기 시작한다.

1957년 — 1월 13일, 「넘어지는 모든 자들」이 BBC 3프로그램에서 처음 방송된다. 1월 말
　　　또는 2월 초, 『마지막 승부/무언극(Fin de partie suivi de Acte sans paroles)』이
　　　미뉘에서 출간된다. 3월 15일, 『머피』가 그로브에서 출간된다. 4월 3일, 「마지막
　　　승부」가 런던의 로열코트극장에서 프랑스어로 공연되고(로제 블랭 연출, 장
　　　마르탱 주연), 이달 26일 파리의 스튜디오 데 샹젤리제 무대에도 오른다. 베케트는
　　　8월 중순까지 이 작품을 영어로 옮긴다. 8월 24일, 데릭 멘델을 위해 두 번째
　　　『무언극 II(Acte sans paroles II)』를 완성한다. 8월 30일, 『넘어지는 모든 자들』이
　　　페이버에서 출간된다. 로베르 팽제(Robert Pinget)가 베케트와 협업해 프랑스어로
　　　옮긴 「넘어지는 모든 자들(Tous ceux qui tombent)」이 파리의 문학잡지 『레
　　　레트르 누벨(Les Lettres nouvelles)』에 실린다. 「포기한 작업으로부터」가 이해
　　　창간된 뉴욕 그로브 출판사의 문학잡지 『에버그린 리뷰(Evergreen Review)』 1권
　　　3호에 실린다. 10월 말, 『넘어지는 모든 자들』이 미뉘에서 출간된다. 12월 14일,
　　　「포기한 작업으로부터」가 BBC 3프로그램에서 방송된다(패트릭 머기[Patrick
　　　Magee] 낭독).

1958년 — 1월 28일, 「마지막 승부」의 영어 버전인 「마지막 승부(Endgame)」 공연이
　　　뉴욕의 체리 레인 극장에서 초연된다(앨런 슈나이더 연출). 2월 23일, 『이름 붙일
　　　수 없는 자』의 영어 번역 초안을 완성한다. 3월 6일, 「마지막 승부(Endspiel)」가
　　　빈의 플라이슈마르크트 극장에서 공연된다(로제 블랭 연출). 3월 7일, 『말론
　　　죽다』 영어판이 런던의 존 칼더(John Calder)에서 출간된다. 3월 17일, 희곡
　　　「크래프의 마지막 테이프(Krapp's Last Tape)」를 영어로 완성한다. 4월 25일,
　　　『마지막 승부/무언극 I(Endgame, followed by Act Without Words I)』 영어판이
　　　페이버에서 출간된다. 이해에 『포기한 작업으로부터』도 페이버에서 출간된다. 7월
　　　희곡 「크래프의 마지막 테이프」가 『에버그린 리뷰』에 실린다. 8월, 훗날 「연극용
　　　초안 II[Rough for Theatre II]」가 되는 글을 쓴다. 9월 29일, 『이름 붙일 수 없는
　　　자(The Unnamable)』 영어판이 그로브에서 출간된다. 10월 28일, 「크래프의

마지막 테이프」가 런던의 로열코트극장에서 초연된다(도널드 맥위니[Donald McWhinnie] 연출, 패트릭 머기 주연). 11월 1일, 「아무것도 아닌 텍스트들」 중 1편을 영어로 옮긴다. 12월, 1950년 옮겼던 『멕시코 시 선집』이 미국 블루밍턴의 인디애나 대학교 출판부(Indiana University Press)에서 출간된다. 12월 17일, 훗날 『어떻게 되는지(Comment c'est)』의 일부가 되는 「핌(Pim)」을 쓰기 시작한다.

1959년 — 3월, 베케트와 피에르 레리스(Pierre Leyris)가 함께 「크래프의 마지막 테이프」를 프랑스어로 옮긴 「마지막 테이프(La Dernière bande)」가 「레 레트르 누벨」에 실린다. 6월 24일, 라디오극 「타다 남은 불씨들(Embers)」이 BBC 3프로그램에서 방송된다. 7월 2일, 트리니티 대학교에서 명예박사 학위를 받는다. 『몰로이』, 『말론 죽다』, 『이름 붙일 수 없는 자』가 한 권으로 묶여 10월에 파리의 올랭피아에서 『3부작(A Trilogy)』으로, 11월에 뉴욕의 그로브에서 『세 편의 소설(Three Novels)』로 출간된다. 11월, 「타다 남은 불씨들」이 『에버그린 리뷰』에 실린다. 같은 달 짧은 글 「영상(L'Image)」이 영국 문예지 『엑스(X)』에 실리고, 이후 이 글은 『어떻게 되는지』로 발전한다. 12월 18일, 『크래프의 마지막 테이프 그리고 타다 남은 불씨들(Krapp's Last Tape and Embers)』이 페이버에서 출간된다. 팽제가 「타다 남은 불씨들」을 프랑스어로 옮긴 「타고 남은 재들(Cendres)」이 『레 레트르 누벨』에 실린다. 이해에 독일 비스바덴의 리메스 출판사(Limes Verlag)에서 베케트의 『시집(Gedichte)』이 출간된다.

1960년 — 1월, 『마지막 테이프 / 타고 남은 재들(La Dernière bande *suivi de* Cendres)』이 미뉘에서 출간된다. 1월 14일, 「크래프의 마지막 테이프」가 뉴욕의 프로방스타운 극장에서 공연된다(앨런 슈나이더 연출). 『어떻게 되는지』 초고를 완성하고, 8월 초까지 퇴고한다. 3월 27일, 「마지막 테이프」가 파리의 레카미에 극장에서 공연된다(로제 블랭 연출, 르네자크 쇼파르[René-Jacques Chauffard] 주연). 3월 31일, 『세 편의 소설』이 존 칼더에서 출간된다. 4월 27일, 「고도를 기다리며」가 BBC 3프로그램에서 방송된다. 8월, 희곡 「행복한 날들(Happy Days)」을 영어로 쓰기 시작해 이듬해 1월 완성한다. 8월 23일, 로베르 팽제가 프랑스어로 쓴 라디오극 「크랭크(La Manivelle)」를 베케트가 영어로 번역한 「옛 노래(The Old Tune)」가 BBC 3프로그램에서 방송된다(바버라 브레이[Barbara Bray] 연출). 9월 말, 베케트의 번역 「옛 노래」가 함께 수록된 팽제의 『크랭크』가 미뉘에서 출간된다. 리처드 시버(Richard Seaver)와 함께 「추방된 자」를 영어로 옮긴다. 10월 말, 파리 14구 생자크 거리의 아파트로 이사한다. 이해에 『크래프의 마지막 테이프 그리고 다른 희곡들(Krapp's Last Tape, and Other Dramatic Pieces)』이 뉴욕 그로브에서 출간된다.

1961년 — 1월, 『어떻게 되는지』가 미뉘에서 출간된다. 2월, 마르셀 미할로비치[Marcel Mihalovici]가 작곡한 가극 「크래프의 마지막 테이프」가 파리의 샤이요 극장과 독일의 빌레펠트에서 공연된다. 3월 25일, 영국 동남부 켄트의 포크스턴에서 쉬잔과 결혼한다. 파리로 돌아온 직후부터 6월 초까지 「행복한 날들」의 원고를 개작해 그로브에 송고한다. 4월 3일, 뉴욕의 WNTA TV에서 「고도를 기다리며」가 방송된다(앨런 슈나이더 연출). 5월 3일, 「고도를 기다리며」가 파리의 오데옹극장에서 공연된다. 5월 4일, 호르헤 루이스 보르헤스(Jorge Luis Borges)와 공동으로 국제 출판인상을 수상한다. 6월 26일, 「고도를 기다리며」가 BBC 텔레비전에서 방송된다(도널드 맥위니 연출). 7월 15일, 『어떻게 되는지』를 영어로 옮기기 시작한다. 9월, 『행복한 날들』이 그로브에서 출간된다. 9월 17일, 「행복한 날들」이 뉴욕 체리 레인 극장에서 초연된다(앨런 슈나이더 연출). 11월 말, 라디오극 「말과 음악(Words and Music)」을 쓴다(존 베케트[John Beckett] 작곡). 12월, '음악과 목소리를 위한 라디오극' 「카스칸도(Cascando)」를 프랑스어로 처음 쓴다(마르셀 미할로비치 작곡). 『영어로 쓴 시(Poems in English)』가 칼더 앤드 보야스에서 출간된다.

1962년 — 1월, 단편 「추방된 자(The Expelled)」의 영어 버전이 『에버그린 리뷰』에 실린다. 5월, 희곡 「연극(Play)」을 영어로 쓰기 시작해 7월에 완성한다. 5월 22일, 「마지막 승부」가 BBC 3프로그램에서 방송된다(앨런 깁슨[Alan Gibson] 연출). 6월 15일, 『행복한 날들』이 페이버에서 출간된다. 11월 1일, 「행복한 날들」이 런던 로열코트극장에서 공연된다. 11월 13일, 「말과 음악」이 BBC 3프로그램에서 방송된다. 「말과 음악」이 『에버그린 리뷰』에 실린다.

1963년 — 1월 25일, 「넘어지는 모든 자들」이 프랑스 텔레비전에서 방송된다. 2월, 『오 행복한 날들(Oh les beaux jours)』 프랑스어판이 미뉘에서 출간된다. 3월 20일, 『영어로 쓴 시(Poems in English)』가 그로브에서 출간된다. 4월 5-13일, 시나리오 「필름(Film)」을 쓴다. 6월 14일, 독일 울름에서 「연극」의 독일어 버전인 「유희(Spiel)」가 공연되고, 베케트는 공연 제작을 돕는다(데릭 멘델 연출). 7월 4일, 「아무것도 아닌 텍스트들」 13편을 영어로 옮기기 시작한다. 9월 말, 「오 행복한 날들」이 베네치아 연극 페스티벌에서 공연되고(로제 블랭 연출, 마들렌 르노[Madeleine Renaud], 장루이 바로[Jean-Louis Barrault] 주연), 이어 10월 말 파리 오데옹극장 무대에 오른다. 10월 13일, 「카스칸도」가 프랑스 퀼튀르에서 방송된다(로제 블랭 연출, 장 마르탱 목소리 출연). 이해 독일 프랑크푸르트의 주어캄프 출판사(Suhrkamp Verlag)에서 베케트의 『극작품(Dramatische Dichtungen)』 1권(총 3권)이 출간된다(「고도를 기다리며」, 「마지막 승부」, 「무언극 I」, 「무언극 II」, 「카스칸도」 등 수록).

1964년 — 1월 4일, 「연극」이 뉴욕의 체리 레인 극장에서 공연된다(앨런 슈나이더 연출). 2월 17일, 「마지막 승부」 영어 공연이 파리의 샹젤리제 스튜디오에서 열린다(잭 맥고런[Jack MacGowran] 연출, 패트릭 머기 주연). 3월, 『연극 그리고 두 편의 라디오 단막극(Play and Two Short Pieces for Radio)』이 페이버에서 출간된다(「연극」, 「카스칸도」, 「말과 음악」 수록). 4월 7일, 「연극」이 런던의 국립극장 올드빅에서 공연된다. 4월 30일, 『어떻게 되는지(How it is)』 영어판이 런던의 칼더 앤드 보야스(Calder and Boyars, 출판사 존 칼더가 1963년부터 1975년까지 사용했던 이름)에서 출간된다. 6월, 「연극」을 프랑스어로 옮긴 「코메디(Comédie)」가 『레 레트르 누벨』에 게재된다. 6월 11일, 「코메디」가 파리 루브르박물관의 마르상 관에서 초연된다(장마리 세로[Jean-Marie Serreau] 연출). 7월 9일, 로열셰익스피어극단이 제작한 「마지막 승부」가 런던의 알드위치 극장에서 공연된다. 7월 10일부터 8월 초까지 뉴욕에서 「필름」 제작을 돕는다(앨런 슈나이더 감독, 버스터 키턴[Buster Keaton] 주연). 8월 말, 훗날 「부정 출발들(Faux départs)」이 될 글을 쓰기 시작한다. 10월 6일, 「카스칸도」가 BBC 3프로그램에서 방송된다. 12월 30일, 「고도를 기다리며」가 런던의 로열코트극장에서 공연된다(앤서니 페이지[Anthony Page] 연출).

1965년 ― 1월, 희곡 「왔다 갔다(Come and Go)」를 영어로 쓴다. 3월 21일, 「왔다 갔다」의 프랑스어 번역을 마친다. 4월 13일부터 5월 1일까지 첫 텔레비전용 스크립트 「어이 조(Eh Joe)」를 영어로 쓴다. 5월 6일, 『고도를 기다리며』 무삭제판이 페이버에서 출간된다. 7월 3일, 「어이 조」의 프랑스어 번역을 마친다. 7월 4-8일, 봄에 프랑스어로 쓴 단편 「죽은 상상력 상상해보라(Imagination morte imaginez)」를 영어로 옮긴다. 프랑스어로 쓴 「죽은 상상력 상상해보라」는 『레 레트르 누벨』에 게재되고 미뉘에서 출간된다. 영어로 번역된 「죽은 상상력 상상해보라(Imagination Dead Imagine)」는 런던의 『더 선데이 타임스(The Sunday Times)』에 실리고 칼더 앤드 보야스에서 출간된다. 8월 8-14일, 「말과 음악」을 프랑스어로 옮긴다. 9월 4일, 「필름」이 베네치아 국제영화제에서 상영되고, 젊은 비평가상을 수상한다. 이날 단편 「충분히(Assez)」를 프랑스어로 쓰기 시작한다. 10월 18일, 로베르 팽제의 「가설(L'Hypothèse)」이 파리 근대 미술관에서 공연된다(베케트와 피에르 샤베르[Pierre Chabert] 공동 연출). 11월, 「소멸자(Le Dépeupleur)」를 프랑스어로 쓰기 시작한다.

1966년 ― 1월, 『코메디 및 기타 극작품(Comédie et Actes divers)』이 미뉘에서 출간된다(「코메디」, 「왔다 갔다[Va-et-vient]」, 「카스칸도」, 「말과 음악[Paroles et musique]」, 「어이 조[Dis Joe]」, 「무언극 II」 수록). 2월 28일, 「왔다 갔다」와 팽제의 「가설」(베케트 연출)이 파리 오데옹극장에서 공연된다. 4월 13일, 베케트의 60회 생일을 기념해 「어이 조(He Joe)」가 독일 국영방송 SDR(남부독일방송)에서 처음 방송된다(베케트 연출). 7월 4일, 「어이 조」가 BBC 2프로그램에서 방송된다. 7-8월, 「쿵(Bing)」을 프랑스어로 쓴다. 『충분히』, 『쿵』이 미뉘에서 출간된다. 11-12월 초, 「아무것도 아닌 텍스트들」을 영어로 옮긴다.

1967년 ― 녹내장 진단을 받는다. 뤼도빅(Ludovic)과 아녜스 장비에(Agnès Janvier), 베케트가 함께 옮긴 『포기한 작업으로부터(D'un ouvrage abandonné)』가

미뉘에서 출간된다. 단편집 『죽은-머리들(Têtes-mortes)』이 미뉘에서
출간된다(「충분히」, 「죽은 상상력 상상해보라」, 「쿵」 수록). 6월, 『어이 조 그리고
다른 글들(Eh Joe and Other Writings)』이 페이버에서 출간된다. 7월, 『왔다
갔다』가 칼더 앤드 보야스에서 출간된다(「어이 조」, 「무언극 II[Act Without
Words II]」, 「필름」 수록). 『카스칸도 그리고 다른 단막극들(Cascando and Other
Short Dramatic Pieces)』이 그로브에서 출간된다(「카스칸도」, 「말과 음악」, 「어이
조」, 「연극」, 「왔다 갔다」, 「필름」 수록). 8월 중순부터 9월 말까지 베를린에 머물며
실러 극장 무대에 오를 「마지막 승부(Endspiel)」 연출을 준비하고, 9월 26일
공연한다. 11월, 베케트가 1945년부터 1966년까지 쓴 단편들을 묶은 『아니요의
칼(No's Knife)』이 칼더 앤드 보야스에서 출간된다. 12월, 『단편들 그리고 아무것도
아닌 텍스트들(Stories and Texts for Nothing)』이 그로브에서 출간된다. 이해에
토머스 맥그리비가 사망한다.

1968년 — 3월, 프랑스어로 쓴 시들을 엮은 『시집(Poèmes)』이 미뉘에서 출간된다.
5월, 폐에서 종기가 발견되어 술과 담배를 끊는 등 여름 내내 치유에 힘쓴다.
「소멸자」의 일부인 『출구(L'Issue)』가 파리의 조르주 비자(Georges Visat)에서
출간된다. 12월, 뤼도빅과 아네스 장비에, 베케트가 함께 옮긴 『와트』가 미뉘에서
출간된다. 이달 초부터 이듬해 3월 초까지 포르투갈에 머물며 휴식을 취한다.
이해에 희곡 「숨소리(Breath)」를 영어로 쓴다.

1969년 — 「없는(Sans)」을 프랑스어로 쓴다. 6월 16일, 뉴욕의 에덴 극장에서 「숨소리」가
공연된다. 8월 말, 10월 5일 실러 극장에서 직접 연출해 선보일 「크래프의 마지막
테이프(Das letzte Band)」 공연 준비차 베를린을 방문하고, 그곳에서 「없는」을
영어로 옮기기 시작한다. 10월, 영국 글래스고의 클로스 시어터 클럽에서
「숨소리」가 공연된다. 10월 초, 요양차 튀니지로 떠난다. 10월 23일, 노벨 문학상
수상. 미뉘 출판사 대표 제롬 랭동이 대신 시상식에 참여한다. 『없는』이 미뉘에서
출간된다.

1970년 — 3월 8일, 영국 옥스퍼드 극장에서 「숨소리」가 공연된다. 4월 29일, 파리의
레카미에 극장에서 「마지막 테이프」를 연출한다. 같은 달, 1946년 집필했으나
당시 베케트가 출간을 거부했던 장편 『메르시에와 카미에(Mercier et Camier)』와
단편 『첫사랑(Premier Amour)』이 미뉘에서 출간된다. 7월, 「없는」을 영어로 옮긴
『없어짐(Lessness)』이 칼더 앤드 보야스에서 출간된다. 9월, 『소멸자』가 미뉘에서
출간된다. 10월 중순 백내장으로 인해 왼쪽 눈 수술을 받는다.

1971년 — 2월 중순, 오른쪽 눈 수술을 받는다. 「숨소리(Souffle)」 프랑스어 버전이 『카이에
뒤 슈맹(Cariers du Chemin)』 4월 호에 실린다. 8-9월, 베를린을 방문해 9월
17일 「행복한 날들(Glückliche Tage)」을 실러 극장에서 연출한다. 10-11월, 요양차
몰타에 머문다.

1972년 — 2월, 모로코에 머문다. 3월 말, 무대에 '입'만 등장하는 모놀로그「나는
아니야(Not I)」를 영어로 쓴다. 『소멸자』를 영어로 옮긴 『잃어버린 자들(The
Lost Ones)』이 런던의 칼더 앤드 보야스와 뉴욕의 그로브에서 출간된다.
『잃어버린 자들』일부가 '북쪽(The North)'이라는 제목으로 런던의 이니사먼
출판사(Enitharmon Press)에서 출간된다. 단편집『죽은-머리들』증보판이
미뉘에서 출간된다(「없는」추가 수록). 「필름/숨소리(Film suivi de Souffle)」가
미뉘에서 출간되고, 이해 출간된 『코메디 및 기타 극작품』증보판에 수록된다.
『숨소리 그리고 다른 단막극들(Breath and Other Shorts Plays)』이 페이버에서
출간된다. 11월 22일, 「나는 아니야」가 '사뮈엘 베케트 페스티벌'의 일환으로 뉴욕
링컨센터에서 공연된다(앨런 슈나이더 연출, 제시카 탠디[Jessica Tandy] 주연).

1973년 — 1월 16일, 「나는 아니야」가 런던 로열코트극장에서 공연된다(베케트와
앤서니 페이지 공동 연출, 빌리 화이트로[Billie Whitelaw] 주연). 같은 달『나는
아니야』가 페이버에서 출간된다. 2월, 『첫사랑』의 영어 번역을 마친다. 『나는
아니야』를 프랑스어로, 『메르시에와 카미에』를 영어로 옮기기 시작한다. 7월,
『첫사랑(First Love)』이 칼더 앤드 보야스에서 출간된다. 8월, 「이야기된 바(As the
Story Was Told)」를 쓴다. 이 글은 이해 독일의 주어캄프에서 출간된 시인 귄터
아이히(Günter Eich) 기념 책자에 수록된다.

1974년 — 『첫사랑 그리고 다른 단편들(First Love and Other Shorts)』가 그로브에서
출간된다(「포기한 작업으로부터」, 「충분히[Enough]」, 「죽은 상상력 상상해보라」,
「땡[Ping]」, 「나는 아니야」, 「숨소리」 수록). 『메르시에와 카미에(Mercier and
Camier)』가 런던의 칼더 앤드 보야스와 뉴욕의 그로브에서 출간된다. 6월, 「나는
아니야」에 비견되는 실험적인 희곡 「그때는(That Time)」을 쓰기 시작해 이듬해
8월 완성한다.

1975년 — 3월 8일, 베를린 실러 극장에서 「고도를 기다리며」를 연출한다. 4월 8일, 파리
오르세 극장에서 「나는 아니야(Pas moi)」(마들렌 르노 주연)와 「마지막 테이프」를
연출한다. 희곡 「발소리(Footfalls)」를 영어로 쓰기 시작해 11월에 완성한다.
텔레비전용 스크립트 「고스트 트리오(Ghost Trio)」를 영어로 쓴다. 12월, 「다시
끝내기 위하여(Pour finir encore)」를 쓴다.

1976년 — 2월, 단편집『다시 끝내기 위하여 그리고 다른 실패작들(Pour finir encore
et autres foirades)』이 미뉘에서 출간된다. 5월 말, 베케트의 일흔 번째 생일을
기념해 런던의 로열코트극장에서 「발소리」(베케트 연출, 빌리 화이트로 주연)와
「그때는」(도널드 맥위니 연출, 패트릭 머기 주연)이 공연된다. 『그때는』이
페이버에서 출간된다. 8월, 「죽은 상상력 상상해보라」를 쓰기 전해인 1964년에
영어로 쓴 글 「모든 이상한 것이 사라지고(All Strange Away)」가 에드워드
고리(Edward Gorey)의 에칭화와 함께 뉴욕의 고담 북 마트(Gotham Book

Mart)에서 출간된다. 10월 1일, 「그때는(Damals)」과 「발소리(Tritte)」를 베를린 실러 극장에서 연출한다. 10-11월, 텔레비전용 스크립트 「오직 구름만이⋯(...but the clouds...)」를 영어로 쓴다. 12월, 『발소리』가 페이버에서 출간된다. 「고스트 트리오」를 처음 수록한 8편의 희곡집 『허접쓰레기들(Ends and Odds)』이 그로브에서 출간된다. 산문 모음 『실패작들(Foirades / Fizzles)』이 뉴욕의 페테르부르크 출판사(Petersburg Press)에서 프랑스어와 영어로 출간되고, 『다시 끝내기 위하여 그리고 다른 실패작들(For to End Yet Again and Other Fizzles)』이 런던의 존 칼더에서, 『실패작들(Fizzles)』이 뉴욕의 그로브에서 출간된다.

1977년 — 3월, 『동반자(Company)』를 영어로 쓰기 시작한다. 『영어와 프랑스어로 쓴 시 전집(Collected Poems in English and French)』이 런던의 칼더와 뉴욕의 그로브에서 출간된다. 4월 17일, 「나는 아니야」, 「고스트 트리오」, 「오직 구름만이⋯」가 '그늘(Shades)'이라는 타이틀 아래 영국 BBC 2프로그램에서 방송된다(앤서니 페이지, 도널드 맥위니 연출). 10월, '죽음'에 대해 말하는 남자에 대한 작품을 써달라는 배우 데이비드 워릴로우(David Warrilow)의 요청으로 「독백극(A Piece of Monologue)」을 쓰기 시작한다. 11월 1일, 남부독일방송에서 제작된 「고스트 트리오(Geistertrio)」와 「오직 구름만이⋯(Nur noch Gewölk)」, 그리고 영국에서 방송되었던 빌리 화이트로 버전의 「나는 아니야」가 '그늘(Schatten)'이라는 타이틀 아래 RFA에서 방송된다(베케트 연출). 전해에 그로브에서 출간된 동명의 희곡집에 「오직 구름만이⋯」를 추가로 수록한 『허접쓰레기들』이 페이버에서 출간된다. 『발소리(Pas)』가 미뉘에서 출간된다.

1978년 — 『발소리 / 네 편의 밑그림(Pas suivi de Quatre esquisses)』이 미뉘에서 출간된다(『발소리』, 「연극용 초안 I & II(Fragment de théâtre I & II)」, 「라디오용 스케치(Pochade radiophonique)」, 「라디오용 밑그림(Esquisse radiophonique)」). 4월 11일, 「발소리」와 「나는 아니야」가 파리의 오르세 극장에서 공연된다(베케트 연출, 마들렌 르노 주연). 8월, 『시들 / 풀피리 노래들(Poèmes suivi de mirlitonnades)』이 미뉘에서 출간된다. 「그때는」을 프랑스어로 옮긴 『이번에는(Cette fois)』이 미뉘에서 출간된다. 10월 6일, 「유희」를 베를린 실러 극장에서 연출한다.

1979년 — 4월 말, 「독백극」을 완성한다. 6월, 런던의 로열코트극장에서 「행복한 날들」이 공연된다(베케트 연출). 9월, 『동반자』를 완성하고 프랑스어로 옮기기 시작한다. 『동반자』가 런던 칼더에서 출간된다. 10월 말, 『잘 못 보이고 잘 못 말해진(Mal vu mal dit)』을 쓰기 시작한다. 12월 14일, 「독백극」이 뉴욕의 라 마마 실험 극장 클럽에서 초연된다(데이비드 워릴로우 연출 및 주연).

1980년 — 『동반자(Compagnie)』가 파리 미뉘에서 출간된다. 5월, 런던의 리버사이드 스튜디오에서 샌 퀜틴 드라마 워크숍의 일환으로 창립자 릭 클러치(Rick Cluchey)와 함께 「마지막 승부」를 공동 연출한다. 이듬해 75번째 생일을 기념해 뉴욕 주 버펄로에서 열리는 심포지엄에서 선보일 「자장가(Rockaby)」를 쓰고(앨런 슈나이더 연출, 빌리 화이트로 주연), 역시 이듬해 미국 오하이오 주립 대학에서 열릴 베케트 심포지엄의 의뢰로 「오하이오 즉흥곡(Ohio Impromptu)」을 쓴다(앨런 슈나이더 연출).

1981년 — 1월 말, 『잘 못 보이고 잘 못 말해진』을 완성한다. 3월, 『잘 못 보이고 잘 못 말해진』이 미뉘에서 출간된다. 『자장가 그리고 다른 짧은 글들(Rockaby and Other Short Pieces)』이 그로브에서 출간된다(「오하이오 즉흥곡」, 「자장가」, 「독백극」 등 수록). 4월, 텔레비전용 스크립트 「쾌드(Quad)」를 영어로 쓴다. 7월, 종종 협업해온 화가 아비그도르 아리카(Avigdor Arikha)를 위해 짧은 글 「천장(Ceiling)」을 영어로 쓰기 시작한다(훗날 에디트 푸르니에[Edith Fournier]가 옮긴 프랑스어 제목은 'Plafond'). 8월, 『최악을 향하여(Worstward Ho)』를 영어로 쓰기 시작해 이듬해 3월 완성한다(에디트 푸르니에가 베케트와 미리 상의한 후 1991년 펴낸 프랑스어 번역본의 제목은 'Cap au pire'). 10월 8일, 독일 SDR에서 제작된 「쾌드」가 '정방형 I+II(Quadrat I+II)'라는 제목으로 RFA에서 방송된다(베케트 연출). 같은 달 『잘 못 보이고 잘 못 말해진(Ill Seen Ill Said)』이 그로브에서 출간된다. 베케트 탄생 75주년을 기념해 파리에서 '사뮈엘 베케트 페스티벌'이 개최된다.

1982년 — 체코 대통령이자 극작가였던 바츨라프 하벨(Václacv Havel)에게 헌정하는 희곡 「대단원(Catastrophe)」을 쓴다. 7월 20일, 「대단원」이 아비뇽 페스티벌에서 초연된다. 『독백극 / 대단원(Solo suivi de Catastrophe)』과 『대단원 그리고 또 다른 소극들(Catastrophe et autres dramaticules)』, 『자장가 / 오하이오 즉흥곡(Berceuse suivi de Impromptu d'Ohio)』이 미뉘에서 출간된다. 『특별히 묶은 세 편의 희곡(Three Occasional Pieces)』이 페이버에서 출간된다(「독백극」, 「자장가」, 「오하이오 즉흥곡」 수록). 『잘 못 보이고 잘 못 말해진』이 칼더에서 출간된다. 마지막 텔레비전용 스크립트 「밤과 꿈(Nacht und Träume)」을 영어로 쓰고 독일 SDR에서 연출한다(이듬해 5월 19일 RFA에서 방송됨). 12월 16일, 「쾌드」가 영국 BBC 2프로그램에서 방송된다.

1983년 — 2-3월, 9월에 오스트리아 그라츠에서 열리는 슈타이리셔 헤르프스트 페스티벌의 요청으로 희곡 「무엇을 어디서」를 프랑스어로 쓰고('Quoi Où') 영어로 옮긴다('What Where'). 이 작품은 베케트가 집필한 마지막 희곡이 된다. 4월, 『최악을 향하여』가 칼더에서 출간된다. 9월, 베케트가 1929년부터 1967년까지 썼던 비평 및 공연되지 않은 극작품 「인간의 소망들」 등이 포함된 『소편(小片)들: 잡문들 그리고 연극적 단편 한 편(Disjecta: Miscellaneous Writings and a Dramatic Fragment)』(루비 콘[Ruby Cohn] 엮음)이 칼더에서 출간된다.

『오하이오 즉흥곡, 대단원, 무엇을 어디서(Ohio Impromptu, Catastrophe, What Where)』가 그로브에서 출간된다. 「독백극」, 「이번에는」이 파리 생드니의 제라르 필리프 극장에서 프랑스어로 공연된다(데이비드 워릴로우 주연). 「자장가」, 「오하이오 즉흥곡」, 「대단원」이 파리 롱푸앵 극장 무대에 오른다(피에르 샤베르 연출). 6월 15일, 「무엇을 어디서」, 「대단원」, 「오하이오 즉흥곡」이 뉴욕의 해럴드 클러먼 극장에서 공연된다(앨런 슈나이더 연출).

1984년 — 2월, 런던을 방문해 샌 퀜틴 드라마 워크숍에서 준비하는 「고도를 기다리며」를 감독한다(발터 아스무스[Waltet Asmus] 연출, 3월 13일 애들레이드 아츠 페스티벌에서 초연됨). 「대단원」이 칼더에서 출간된다. 『단막극 전집(Collected Shorter Plays)』이 런던의 페이버와 뉴욕의 그로브에서 출간되고, 『시 전집 1930-78(Collected Poems, 1930-1978)』이 런던의 칼더에서 출간된다. 8월, 에든버러 페스티벌에서 '베케트 시즌'이 열린다. 런던에서 오스트레일리아 순회공연을 위해 「고도를 기다리며」, 「마지막 승부」, 「크래프의 마지막 테이프」 연출을 감독한다.

1985년 — 마드리드와 예루살렘에서 베케트 페스티벌이 열린다. 6월, 「무엇을 어디서(Was Wo)」를 텔레비전 방송용으로 개작해 독일 SDR에서 연출한다(이듬해 4월 13일 방송됨). 「천장」이 실린 책 『아리카(Arikha)』가 파리의 에르만(Hermann)과 런던의 템스 앤드 허드슨(Thames and Hudson)에서 출간된다.

1986년 — 베케트 탄생 80주년을 기념해 4월에 파리에서, 8월에 스코틀랜드 스털링에서 사뮈엘 베케트 페스티벌이 열린다. 폐 질환이 시작된다.

1988년 — 마지막 글이 될 「떨림(Stirrings Still)」을 영어로 완성한다. 이 글은 뉴욕의 블루 문 북스(Blue Moon Books)와 런던의 칼더에서 출간된다. 『영상』이 미뉘에서, 『산문 전집 1945-80(Collected Shorter Prose, 1945-1980)』이 칼더에서 출간된다. 7월, 쉬잔과 함께 요양원 르 티에르탕에 들어간다. 그곳에서 프랑스 시 「어떻게 말할까(Comment dire)」와 영어 시 「무어라 말하나(What is the Word)」를 쓴다.

1989년 — 『동반자』, 『잘 못 보이고 잘 못 말해진』, 『최악을 향하여』가 수록된 『계속할 도리가 없는(Nohow On)』이 뉴욕의 리미티드 에디션스 클럽(Limited Editions Club)과 런던의 칼더에서 출간된다(그로브에서는 1995년 출간됨). 『떨림(Stirrings Still)』을 프랑스어로 옮긴 『떨림(Soubresauts)』과 1940년대에 판 펠더 형제에 대해 썼던 미술 비평 『세계와 바지(Le Monde et le pantalon)』가 미뉘에서 출간된다(「장애의 화가들[Peintres de l'empêchement]」은 1991년 증보판에 수록). 7월 17일, 쉬잔 사망. 12월 22일, 베케트 사망. 파리의 몽파르나스 묘지에 함께 안장된다.

작품 연표

<table>
<tr><td>

영어

1929년

비평문「단테…브루노. 비코··조이스
(Dante…Bruno. Vico..Joyce)」

단편「승천(Assumption)」

기타 단편들

1930년

시집『호로스코프(Whoroscope)』(1930)

비평집『프루스트(Proust)』(1931)

단편들

1930-2년

장편『그저 그런 여인들에 대한 꿈(Dream
of Fair to Middling Women)』(사후
출간)

1932-3년

시들

단편집『발길질보다 따끔함(More Pricks
Than Kicks)』(1934)

1934-5년

시집『에코의 뼈들 그리고 다른
침전물들(Echo's Bones and Other
Precipitates)』(1935)

1935-6년

장편『머피(Murphy)』(1938)

1937년

희곡「인간의 소망들(Human
Wishes)」(1983)

1941-5년

장편『와트(Watt)』(1954)

</td><td>

프랑스어

1937-40년

시들

『머피(Murphy)』(알프레드 페롱과 공동
번역, 1947년 출간)

1945년

미술 비평「세계와 바지(Le Monde et le
pantalon)」(1989)

</td></tr>
</table>

1946년
단편 「끝(La Fin)」(1955)
장편 『메르시에와 카미에(Mercier et Camier)』(1970)
단편 「추방된 자(L'Expulsé)」(1955)
단편 「첫사랑(Premier amour)」(1970)
단편 「진정제(Le Calmant)」(1955)

1947년
희곡 「엘레우테리아(Eleutheria)」(1995)

1947-8년
장편 『몰로이(Molloy)』(1951)
장편 『말론 죽다(Malone meurt)』(1951)
미술 비평 「장애의 화가들(Peintres de l'empêchement)」(1989)

1948-9년
희곡 「고도를 기다리며(En attendant Godot)」(1952)

1949년
미술 비평 「세 편의 대화(Three Dialogues)」(사후 출간)

1949-50년
장편 『이름 붙일 수 없는 자(L'Innommable)』(1953)

1950-1년
단편 모음 「아무것도 아닌 텍스트들(Textes pour rien)」(1955)

1953-4년
장편 『몰로이(Molloy)』(패트릭 바울즈와 공동 번역, 1955년 출간)
희곡 『고도를 기다리며(Waiting for Godot)』(1954)

1954-5년
장편 『말론 죽다(Malone Dies)』(1956)

1955(?)년
단편 「포기한 작업으로부터(From an Abandoned Work)」(1958)

1954-6년
희곡 「마지막 승부(Fin de Partie)」(1957)
희곡 「무언극 I(Acte sans paroles I)」(1957)

1956년

라디오극 「넘어지는 모든 자들(All That Fall)」(1957)

1956-7년

희곡 「으스름(The Gloaming)」

장편 『이름 붙일 수 없는 자(The Unnamable)』(1958)

1957년

희곡 「마지막 승부(Endgame)」(1958)

1958년

희곡 「크래프의 마지막 테이프(Krapp's Last Tape)」(1959)

단편 「아무것도 아닌 텍스트 I(Text for Nothing I)」

라디오극 「타다 남은 불씨들(Embers)」(1959)

1960-61년

희곡 「행복한 날들(Happy Days)」(1961)

단편 「추방된 자」(리처드 시버와 공동 번역, 1967년 출간)

1961년

라디오극 「말과 음악(Words and Music)」(1964)

1961-2년

장편 『어떻게 되는지(How it is)』(1964)

1962-3년

희곡 「연극(Play)」(1964)

「연극용 초안 I & II(Rough for Theatre I & II)」(1976)

「라디오용 초안 I & II(Rough for Radio I & II)」(1976)

1963년

라디오극 「카스칸도(Cascando)」(1964)

시나리오 「필름(Film)」(1964년 제작, 1965년 상영, 1967년 출간)

1957년

라디오극 「넘어지는 모든 자들(Tous ceux qui tombent)」(로베르 팽제와 공동 번역, 1957년 출간)

「무언극 II(Acte sans paroles II)」(1966)

1958-9년

희곡 「마지막 테이프(La Dernière bande)」(피에르 레리스와 공동 번역, 1960년 출간)

1959-60년

장편 『어떻게 되는지(Comment c'est)』(1961)

「연극용 초안 I & II(Fragment de théâtre I & II)」(1950년대 후반 집필, 1978년 출간)

1961년

라디오극 「카스칸도(Cascando)」(1963)

「라디오용 스케치(Pochade radiophonique)」(1978)

「라디오용 밑그림(Esquisse radiophonique)」(1978)

1962년

희곡 「오 행복한 날들(Oh les beaux jours)」(1963)

1963-4년

희곡 「코메디(Comédie)」(1966)

1963-6년
단편 모음 「아무것도 아닌 텍스트들 (Texts for Nothing)」(1967)

1964-5년
단편 「모든 이상한 것이 사라지고 (All Strange Away)」(1976)

1965년
희곡 「왔다 갔다(Come and Go)」(1)* (1967)
텔레비전용 스크립트 「어이 조(Eh Joe)」(1) (1967)
단편 「죽은 상상력 상상해보라 (Imagination Dead Imagine)」(2) (1974)

1965-6년
단편 「충분히(Enough)」(2) (1974)
단편 「땡(Ping)」(1974)

1968년
희곡 「숨소리(Breath)」(1972)

1969년
단편 「없어짐(Lessness)」(2) (1970)

1971-2년
단편 「잃어버린 자들(The Lost Ones)」(1972)

1965년
희곡 「왔다 갔다(Va-et-vient)」(2) (1966)
단편 「죽은 상상력 상상해보라 (Imagination morte imaginez)」(1) (1967)
텔레비전용 스크립트 「어이 조(Dis Joe)」(2) (1966)
라디오극 「말과 음악(Paroles et musique)」(1966)
단편 「충분히(Assez)」(1) (1966)

1965-6년
단편 「소멸자(Le Dépeupleur)」(1970)

1966년
단편 「쿵(Bing)」(1966)

1966-8년
장편 『와트(Watt)』(아녜스 & 뤼도빅 장비에와 공동 번역, 1968년 출간)

1969년
단편 「없는(Sans)」(1) (1969)
희곡 「숨소리(Souffle)」(1972)

단편 모음 「실패작들(Foirades)」(1960년대 집필, 1976년 출간)

1971년
시나리오 「필름(Film)」(1972)

* 제목 옆의 숫자 (1), (2)는 집필 연도가 같은 작품들의 집필 순서를 표시한 것이다.

1972–3년

희곡 「나는 아니야(Not I)」(1973)

단편 「첫사랑(First Love)」(1973)

단편 「정적(Still)」(1973)

단편 「소리들(Sounds)」(1978)

단편 「정적 3(Still 3)」(1978)

단편 「움직이지 않는(Immobile)」(1976)

1973년

장편 『메르시에와 카미에(Mercier and Camier)』(1974)

단편 「이야기된 바(As the Story Was Told)」(1973)

1973년

희곡 「나는 아니야(Pas moi)」(1975)

1973–4년

단편 모음 「실패작들(Fizzles)」(1976)

1974–5년

희곡 「그때는(That Time)」(1976)

1974–5년

희곡 「이번에는(Cette fois)」(1978)

1975년

단편 「다시 끝내기 위하여(For to End Yet Again)」(2) (1976)

희곡 「발소리(Footfalls)」(1) (1976)

텔레비전용 스크립트 「고스트 트리오(Ghost Trio)」(1976)

1975년

단편 「다시 끝내기 위하여(Pour finir encore)」(1) (1976)

희곡 「발소리(Pas)」(2) (1978)

1976년

텔레비전용 스크립트 「오직 구름만이…(…but the clouds…)」(1977)

1976–8년

「풀피리 노래들(Mirlitonnades)」(1978)

1977–9년

단편 「동반자(Company)」(1979)

희곡 「독백극(A Piece of Monologue)」(1981)

1979–80년

단편 「잘 못 보이고 잘 못 말해진(Ill Seen Ill Said)」(1981)

희곡 「자장가(Rockaby)」(1981)

희곡 「오하이오 즉흥곡(Ohio Impromptu)」(1981)

1979년

단편 「동반자(Compagnie)」(1980)

1979–82년

희곡 「독백극(Solo)」(1982)

1981년

텔레비전용 스크립트 「쾨드(Quad)」
(1982)

단편 「천장(Ceiling)」(1985)

1981-2년

단편 「최악을 향하여(Worstward Ho)」
(1983)

텔레비전용 스크립트 「밤과 꿈(Nacht und
Träume)」(1984)

1983년

희곡 「무엇을 어디서(What Where)」 (2)
(1983)

희곡 「대단원(Catastrophe)」(1983)

1983-7년

단편 「떨림(Stirrings Still)」 (1988)

1989년

시 「무어라 말하나(What is the Word)」

1981년

단편 「잘 못 보이고 잘 못 말해진(Mal vu
mal dit)」(1981)

1982년

희곡 「자장가(Berceuse)」(1982)

희곡 「오하이오 즉흥곡(Impromptu
d'Ohio)」(1982)

희곡 「대단원(Catastrophe)」(1982)

1983년

희곡 「무엇을 어디서(Quoi Où)」 (1) (1983)

1988년

시 「어떻게 말할까(Comment dire)」

단편 「떨림(Soubresauts)」(1989)

사뮈엘 베케트 선집

소설
『발길질보다 따끔함』, 윤원화 옮김
『머피』, 이예원 옮김
『와트』, 박세형 옮김
『포기한 작업으로부터』, 윤원화 옮김
『말론 죽다』, 임수현 옮김
『이름 붙일 수 없는 자』, 전승화 옮김
『어떻게 되는지/영상』, 전승화 옮김
『죽은-머리들/소멸자/다시 끝내기 위하여 그리고 다른 실패작들』, 임수현 옮김
『동반자/잘 못 보이고 잘 못 말해진/최악을 향하여/떨림』, 임수현 옮김

시
『에코의 뼈들 그리고 다른 침전물들/호로스코프/시들, 풀피리 노래들』, 김예령
옮김

평론
『프루스트』, 유예진 옮김
『세계와 바지/장애의 화가들』, 김예령 옮김

계속됩니다.

사뮈엘 베케트 선집

사뮈엘 베케트
동반자/잘 못 보이고 잘 못 말해진/
최악을 향하여/떨림

임수현 옮김

초판 1쇄 발행. 2018년 12월 21일

발행. 워크룸 프레스
편집. 김뉘연
표지 사진. EH(김경태)
제작. 세걸음/상지사

ISBN 979-11-89356-10-1 04800
978-89-94207-65-0 (세트)
15,000원

워크룸 프레스
출판 등록. 2007년 2월 9일
(제300-2007-31호)
03043 서울시 종로구
자하문로16길 4, 2층
전화. 02-6013-3246
팩스. 02-725-3248
메일. workroom@wkrm.kr
workroompress.kr
workroom.kr

이 도서의 국립중앙도서관
출판예정도서목록(CIP)은 서지정보유통
지원시스템(seoji.nl.go.kr)과
국가자료공동목록시스템(nl.go.kr/
kolisnet)에서 이용하실 수 있습니다.
CIP제어번호: CIP2018039557

옮긴이. 임수현

서강대학교 불어불문학과와 동 대학원에서 공부했고, 파리4대학에서 사뮈엘 베케트
연구로 박사 학위를 받았다. 현재 서울여자대학교 불어불문학과 교수이자 극단 산울림
예술감독이다. 옮긴 책으로 베르나르 올리비에의 『나는 걷는다 1』, 『떠나든, 머물든』,
『쇠이유, 문턱이라는 이름의 기적』, 드니 게즈의 『항해일지』, 아르튀르 아다모프의
『타란느 교수』, 베르나르마리 콜테스의 『목화밭의 고독 속에서』, 알랭 바디우의 『베케트에
대하여』(서용순 공역), 사뮈엘 베케트의 『죽은-머리들/소멸자/다시 끝내기 위하여 그리고
다른 실패작들』 등이 있다.